CURSO DE ESCULTURA DE UÑAS

AUTORAS:
María Núñez Muro
Blanca López-Beltrán García
Directoras de: *Nails Zen* y *Centro de Estudios Profesionales en Manicura, Pedicura, Escultura y Decoración* (CEPED).

COORDINACIÓN:
Encarnación Villasevil Nodal

TÉCNICOS COLABORADORES:
María del Carmen Moreno Cabrera. Profesional con más de quince años experiencia. Dirige una escuela de Formación de grado medio y superior de Estética. Es técnico especializada en formación de formadores de reconocidas marcas a nivel nacional e internacional.

Carmen Gamero López. Técnico especialista con más de 15 años de experiencia como profesional y formadora. Master artistic educator de Ez Flow y Directora de un centro de Formación en Valencia. Campeona de España en *Inlay 2008.*

Rosa Asensio Albajar. Técnico de uñas con más de años 11 años de experiencia. Se ha formado con las mejores firmas y dirige en la actualidad un Centro de Formación y Distribución especializado en el cuidado de manos y pies en Zaragoza.

María del Pilar Tevar Navarro. Técnica y especialista en uñas esculpidas y decoración con más de 15 años de experiencia. Formadora en distintas marcas americanas. y especialista en acrílico, gel y decoración de uñas. Dirige un centro de uñas propio en Madrid.

Lucía Cruz Saura. Técnico y educadora profesional en el mundo de las uñas con mucha experiencia y especializada en diferentes técnicas de decoración de distintas marcas. Dirige un centro de uñas propio en Granada.

Ainoha Nieto-Márquez Cabello. Técnico especialista en uñas de gel y decoración de uñas con gel y esmalte.

Mónica Fernanda Betacoor Gaitán. Técnico de uñas con mucha experiencia especializada en manicura, pedicura y decoración con esmalte. Actualmente trabaja como técnico en Madrid en una importante marca comercial.

Janeth Ortiz. Técnico especializada en uñas y decoración con esmaltes.

Sonia Tejera. Técnico especializada en escultura y decoración de uñas.

COLABORACIÓN ESPECIAL:
Kimber Jewelry. Joyeros alto diseño. Cesión de joyas y complementos que aparecen en el libro.

Edición:
J. Martínez Retuerto

Corrección:
Belén Martín Armand

Fotografía:
Diego Hernández Milané

Ilustración:
Rubén Alcocer

Diseño y maquetación:
PeiPe sl

Impresión:
Gráficas Monterreina

ISBN: 978-84-96699-77-9
Depósito legal: M-13514-2011
Impreso en España *Printed in Spain*

CURSO DE ESCULTURA DE UÑAS

Teléfono: 915 429 352. Fax: 915 429 590
Teléfono de pedidos y atención al cliente: 915 411 034
www.videocinco.com

ÍNDICE

1. LAS MANOS Y LOS PIES: LOS GRANDES DESCONOCIDOS

> Cultura del cuidado de manos y pies 8

> Otras creaciones 12

> El trabajo profesional 14

> Imagen personal: transmisión de conceptos y valores 16

> Excelencia de las técnicas 18

> Atención al cliente 20

2. PREPARACIÓN DE LAS UÑAS PARA LA ESCULTURA

> Análisis de las uñas 24

> Aspectos importantes a tener en cuenta 31

> Paso a paso en la preparación de las uñas 36

3. LA ESCULTURA DE UÑAS

> La formación 44

> La importancia de conocer las diferentes técnicas 46

> Características de cada técnica 48

> Aplicación correcta del molde 54

> ¿Cómo aplicar un tip? 57

> Pautas para una escultura perfecta 60

> Técnicas de limado para los diferentes
acabados de escultura 63

> Relación de la escultura con la decoración 66

4. DIFERENTES TÉCNICAS DE ESCULTURA: UÑAS EN ACRÍLICO

> ¿Qué son las uñas acrílicas? 72

> ¿Para quienes recomendamos unas uñas acrílicas? 76

5. UÑAS CON GEL Y ESMALTADO PERMANENTE

> Tipos de gel 84

> Pautas para la correcta aplicación del gel 86

> Tratamiento con gel. Esmaltado permanente 98

> Los pies en el mundo de la escultura 102

6. UÑAS MORDIDAS: TRATAMIENTO Y EXTENSIONES

> Elección de la técnica 108

> Gel en uñas mordidas con tips 114

> Rellenos 122

1 LAS MANOS Y LOS PIES: LOS GRANDES DESCONOCIDOS

Todos estamos de acuerdo en que la cara es el espejo del alma pero **las manos dicen mucho de una persona.**

Las personas empleamos las manos al hablar y transmitimos estados de ánimo, intereses, agrado o desagrado y en ocasiones pueden convertirse en centro de atención, por ello es importante llevarlas cuidadas. Tus manos hablan de ti. Si el cuidado de las manos es importante, no lo es menos el de los pies, estos sufren un grandísimo desgaste diario ya que son los encargados de soportar nuestro cuerpo. Muchas de las patologías de la columna vertebral son causadas por una postura anatómicamente incorrecta de los pies, al igual que son el origen de cefaleas, dolores cervicales, lumbares, etc.

Unos pies bien cuidados, además
de transmitir belleza, contribuyen
a mejorar la calidad de vida
de las personas y su salud.

> CULTURA DEL CUIDADO DE MANOS Y PIES

Al cuidado de las manos y los pies no siempre se le ha concedido la importancia suficiente para dedicarles una atención especializada. Incluso, hoy en día muchas de las personas que se preocupan por su imagen personal y emplean tiempo y dinero en tratamientos estéticos, no cuidan de la misma manera estas partes del cuerpo. Si bien, esto está cambiando de forma muy rápida y nos encontramos ante un mercado con una gran capacidad de desarrollo en diferentes áreas:

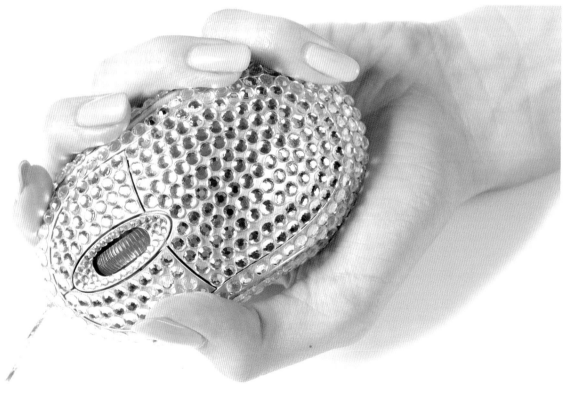

> Observamos, sobre todo, que en las mujeres empresarias y trabajadoras, la importancia de llevar unas manos cuidadas y unas uñas bien maquilladas o esculpidas, está pasando a primer plano.

> Actualmente el cuidado y maquillaje de las uñas se entiende como una parte imprescindible del estilismo y está muy presente en las pasarelas de moda.

> La importancia del cuidado de las uñas se muestra en la publicidad, ya que se recurre a ellas como elementos captadores de atención con los que se remarca el producto publicitado.

> En actividades profesionales como la danza el cuidado de las manos y las uñas es imprescindible ya que son una forma más de expresión y transmisión de los sentimientos.

> De igual forma, los hombres están incorporando paulatinamente estos cuidados a sus hábitos de imagen y se prevé que en los próximos años el mercado de manicura y pedicura esté en pleno desarrollo; esto es, se plantea un crecimiento exponencial de los negocios destinados al embellecimiento de las manos y los pies.

El buen aspecto de las manos y cuidado de las uñas, representa una oportunidad clara de desarrollo profesional, bien como técnicos especializados en manicura y pedicura bien como centro o empresa especializada.

> El mundo del cómic y los superhéroes ha traspasado las fronteras del cine y el papel y se ha instalado en la publicidad, la moda e incluso en la calle, como consecuencia de ello se empiezan a aplicar técnicas en el cuidado de uñas que permiten reproducir fielmente los modelos de referencia.

Uno de nuestros objetivos debe ser concienciar a nuestros clientes de que tener unas manos y pies bonitos y bien cuidados influye positivamente en la forma que tienen las personas de percibirnos y en la propia manera en la que nos vemos. Por ello, conviene que les recomendemos el cuidado periódico de los mismos, cada dos o tres semanas. Con esta recomendación contribuimos al bienestar del cliente a la vez que incrementamos nuestro potencial de trabajo, creando de esta manera un servicio de consumo habitual.

> OTRAS CREACIONES

La escultura y decoración de uñas es un trabajo creativo que nos puede llevar a otros ámbitos de negocio.

La creatividad, junto con la técnica y las destrezas adquiridas, permitirán al profesional realizar complementos como broches, anillos, pendientes etc.., a veces a juego con el diseño de las propias uñas y otras como accesorios independientes.

Estos simpáticos y artísticos ejemplos de una colección de broches con duendecillos, es sólo una muestra de las posibilidades que este trabajo nos brinda y que amplia nuestro campo profesional a nuevas e interesantes opciones.

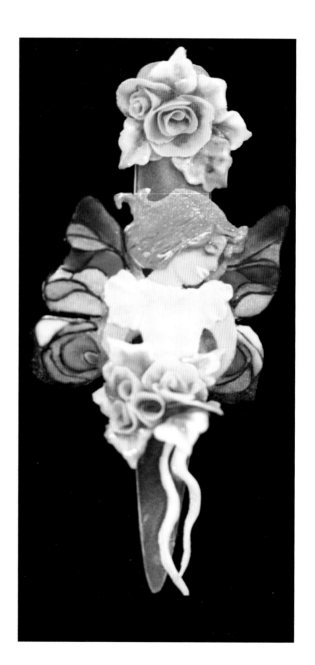

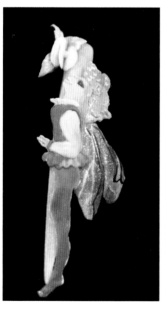

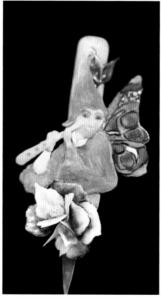

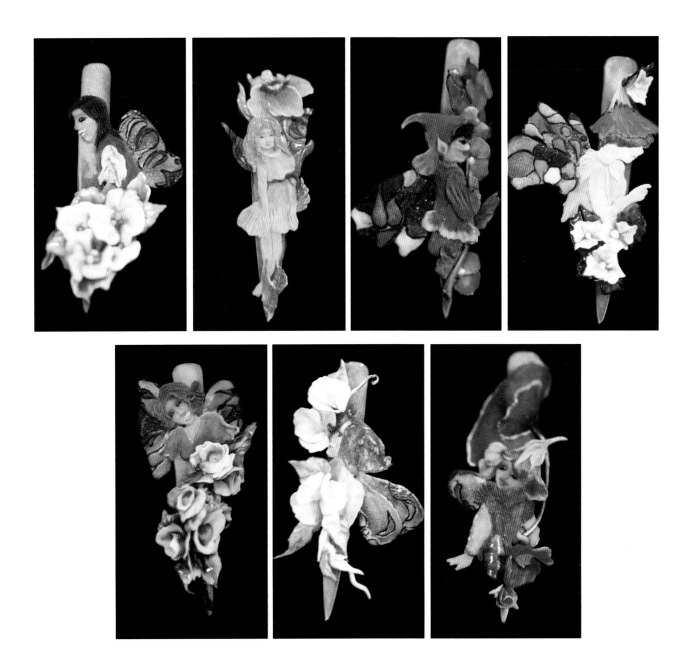

> EL TRABAJO PROFESIONAL

Como profesionales, nuestro trabajo no termina con la realización de un servicio, debemos hacer un seguimiento del resultado de las técnicas y satisfacción del cliente e informarle de los cuidados que le ayuden a prolongar los beneficios obtenidos.

CONSIDERACIONES GENERALES PARA RECOMENDAR A LOS CLIENTES

Las manos

> Las manos están sometidas a múltiples agresiones a lo largo del día: empleo de sustancias químicas como detergentes o colorantes, polución, paso de ambientes fríos a cálidos… que contribuyen a la destrucción de la emulsión que protege a la piel provocando sequedad, grietas, descamaciones…

La mejor manera de prevenir estas afecciones es a través de la limpieza e hidratación de las manos así como de la protección de las mismas con guantes en casos necesarios.

> Son muy útiles las cremas hidratantes, que recuperan el manto graso de la piel. Es recomendable aplicarlas varias veces a lo largo del día, generalmente tras el lavado y, en algunas ocasiones, se puede recomendar la aplicación de la crema hidratante en las manos antes de dormir, cubriéndolas después con unos guantes de algodón.

Asimismo, el cuidado de las uñas es muy importante. Una manicura realizada correctamente conseguirá que las uñas estén en perfecto estado, tanto en lo que respecta a la salud como a la belleza.

Los pies

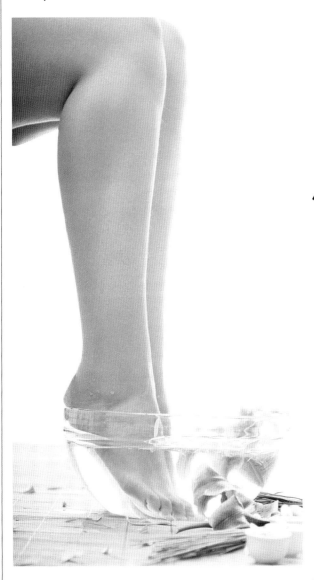

> El cuidado de los pies es imprescindible por ello se deben lavar a diario y secarlos bien, prestando especial atención a los espacios interdigitales, de esta manera podemos evitar problemas de olores e infecciones por hongos, muy habituales en deportistas.

recuerda

Si se emplea calzado inadecuado o tacones altos, puede que la carga que soporta el pie se reparta de manera incorrecta y se produzcan sobrecargas, principalmente en la zona metatarsiana y en el talón; estas sobrecargas pueden producir desviación de los dedos, aparición de rozaduras y zonas con hiperqueratosis (aumento de la capa córnea o escamosa de la piel). Para eliminar estas hiperqueratosis podemos recurrir al empleo de una piedra pómez.
En el caso de que persistan o sean muy dolorosas, es necesario acudir al especialista.

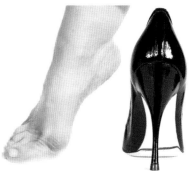

> IMAGEN PERSONAL: TRANSMISIÓN DE CONCEPTOS Y VALORES

En la época en la que vivimos, la imagen personal se ha convertido en algo muy importante, es la carta de presentación con la que proyectamos nuestra personalidad, quienes somos o parecemos ser y es, por tanto, una herramienta fundamental que nos puede ayudar a transmitir credibilidad, confianza y profesionalidad hacia nuestros clientes, proveedores, colaboradores…

El cuerpo es un elemento magnífico de comunicación y es la tarjeta de presentación de una persona, que debe ir acompañado del control del lenguaje verbal y no verbal.

> Por otra parte, la buena presencia, al ser y sentirse agradable a la vista de otros, hace que estemos más seguros de nosotros mismos, lo cual mejora en gran medida nuestro desarrollo personal, profesional y social.

> Es importante captar a través de la imagen la personalidad y deseos de cada cliente para adecuar nuestra propuesta de trabajo a sus expectativas y estilo.

> La imagen personal es como una foto, es todo lo que los demás ven de nosotros en una rápida y fugaz mirada.

La regla de oro para transmitir una buena imagen es: «estar a gusto y seguro con uno mismo».

La imagen de las manos y los pies de una persona son su mejor carta de presentación a los demás.

> EXCELENCIA DE LAS TÉCNICAS

Para garantizar el éxito de una actividad o negocio, tenemos que tener muy en cuenta la comunicación comercial y las diferentes técnicas de venta.

La venta exige un intercambio de ideas para conocer las necesidades de nuestro cliente y poder adaptar nuestro producto o servicio a estas necesidades. El desarrollo de habilidades sociales y pautas de comportamiento nos ayudarán a culminar con éxito la venta, teniendo en cuenta estas dos formas de llegar a nuestro cliente:

La comunicación verbal

> A través de nuestra palabra expresamos las ideas y conceptos que deseamos transmitir al cliente. Para que el mensaje sea aceptado y comprendido debe ser:

- Preciso y sencillo, sin tecnicismos, frases hechas o palabras rebuscadas.

- Positivo, no utilizar giros o expresiones negativas.

- No redundante, evitar los adjetivos innecesarios.

- Adaptado al lenguaje que utiliza nuestro cliente o interlocutor.

- Nunca debemos decir: «es que no me entiende», sino «he debido explicarme mal».

La comunicación no verbal

> La comunicación no verbal es la que surge de nuestro cuerpo y que no depende de las palabras que decimos. Las expresiones que todo profesional de la venta debe observar:

• La mirada:

Los ojos pueden expresar todo tipo de emociones, e incluso, a veces, conseguimos mediante la mirada saber lo que la otra persona está pensando. Cuando una persona está escuchando mira a los ojos de la otra.

La mirada debe de ser frontal y no de soslayo. De igual forma, no debemos mirar de arriba abajo, ya que la persona se sentirá juzgada e incómoda.

• Los gestos del rostro:

Debemos demostrar una cierta cordialidad hacia nuestro cliente. Una sonrisa sincera y amigable predispone a nuestro interlocutor a relajarse y, por tanto, que la comunicación sea más fluida y abierta.

• Las manos:

Las manos exteriorizan los estados del inconsciente de las personas. Una mano relajada transmitirá confianza y seguridad.

• La postura:

Debemos procurar dar la sensación de relajación y atención a la otra persona.

• La ropa:

La norma básica es que jamás debe llamar la atención más que el producto o servicio que intentamos vender. Es importante tener en cuenta que la imagen vende.

• La voz:

El tono de voz y la dicción refleja en gran medida nuestro estado de ánimo; al igual que con la voz se puede persuadir, tranquilizar u ofrecer confianza, también se puede crear un mal clima, ofender, preocupar o disuadir.

Se debe evitar a toda costa expresar monotonía, cansancio o desinterés. La expresión debe reflejar: cortesía, amabilidad, interés y confianza.

> ATENCIÓN AL CLIENTE

No es nuestro objetivo desarrollar las distintas técnicas de venta, pero sí destacar que es fundamental vender satisfaciendo las necesidades de nuestros clientes: debemos conocer perfectamente su punto de vista, y la mejor forma es interesándonos por sus necesidades o deseos.

Más importante que hacer clientes es conservarlos y asegurarnos su fidelidad. Esto sólo se consigue con la filosofía de «yo gano-tú ganas». Tenemos que saber escuchar a nuestros clientes para descubrir cuáles son los beneficios básicos que le ofrece nuestro producto o servicio y poder ofrecérselos. Esto nos obliga a trabajar siempre de una forma individualizada.

NO VENDEMOS PRODUCTOS O SERVICIOS SINO BENEFICIOS

Atención al cliente

> Nos encontramos en un mercado con un alto nivel de competitividad y esto hace que tengamos que distinguirnos por nuestra profesionalidad, por la calidad de nuestros productos y por ofrecer una atención individualizada a nuestros clientes.

La calidad en la atención es un factor de diferenciación de la competencia que ha hecho que los clientes sean mucho más exigentes y que la venta sea más compleja, para ello es necesario buscar valores añadidos.

Un cliente satisfecho es aquel cuyas expectativas del producto se ven superadas por el mismo producto.

Es muy importante desarrollar un **plan de acción** para mejorar la atención a nuestros clientes.

> Para ello es necesario responder a tres cuestiones:

1 ¿Qué servicio estamos dando a nuestros clientes?

2 ¿Qué servicio quieren tener nuestros clientes (tanto los actuales como los potenciales)?

3 ¿Qué servicio da nuestra competencia?

> Es imprescindible conocer en profundidad todos los productos y servicios que ofrecemos con la finalidad de poder asegurar los beneficios básicos que pueden cubrir las necesidades de nuestros clientes. Estas son algunas de las pautas más importantes:

- El teléfono y el e-mail son los medios más utilizados por los clientes en sus comunicaciones con nuestros centros.
- El servicio de atención al cliente exige un horario continuado.
- Es muy importante atender las llamadas de los clientes en el menor tiempo posible.
- El cliente tiene cada vez mayor tendencia a hacer valer sus derechos como consumidor.
- La satisfacción del cliente se basa en todos los aspectos de nuestra empresa.

- Las sensaciones que percibe el cliente al presentar su queja son las más duraderas y las que comentará en su entorno.
- Lo que de verdad diferencia a una empresa de sus competidores directos es la calidad en la atención al cliente.
- Las empresas deben estar a la altura del nivel de expectativa de sus clientes.
- Las reclamaciones son una fuente de información y fidelización de los clientes, aprovechémoslas.

2 PREPARACIÓN DE LAS UÑAS PARA LA ESCULTURA

El éxito del trabajo no solo depende del análisis psicológico y del estilo de cada cliente, también hay que tener en cuenta las características morfológicas de las uñas y las manos que éste posea y la situación o momento en el que vayan a lucirse y, por supuesto, sus deseos y expectativas.

Sólo cuando se han analizado los distintos factores que intervienen en el resultado se estará en condiciones de asesorar sobre el producto o técnica más adecuada en cada caso: una escultura, un esmaltado permanente, aplicación de gel… o cualquier otro tratamiento específico.

La adaptación de la técnica
y decoración a cada cliente
de forma individualizada
es fundamental.

> ANÁLISIS DE LAS UÑAS

¿CÓMO REALIZAREMOS ESTE ANÁLISIS?

Para analizar las uñas debemos observarlas desde tres puntos de vista:

> Desde arriba.

> De perfil.

> De frente.

¿QUÉ ES LO QUE DEBEMOS OBSERVAR?

> LA MORFOLOGÍA DE LAS UÑAS

Desde arriba.
¿Cómo se encuentra la uña?

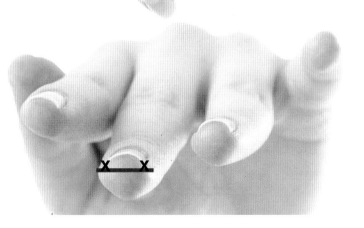

Punto más alto

1. Área
de cutícula

3. Borde libre

2. Área
de tensión

De perfil.

- El área de cutícula y el borde libre son los puntos más bajos de la uña.

- El borde nunca debe ser más largo que la mitad de la base de la uña.

- El área de tensión o de stress siempre es el más alto de la uña.

De frente.

Curva C.

- Los dos puntos (x) tienen que caer a la misma altura y por igual.

- La curva C debe ser simétrica tanto de forma como de grosor.

X___X

> ALTERACIONES PATOLÓGICAS

Observaremos si existe alguna alteración en la lámina ungueal. Si la alteración es **patológica,** no podremos trabajar la escultura y deberemos remitir al cliente al **profesional** que corresponda.

Las más frecuentes suelen ser estas:

Onicolisis

Observación: separación de la placa ungueal del lecho, empieza por el borde libre y avanza hacia la matriz.

Las causas: traumatismos, psoriasis, hongos.

Tratamiento: dermatólogo y/o podólogo.

Coiloniquia

Observación: uña en cuchara y lámina ungueal delgada y cóncava.

Las causas: anemia, enfermedad vascular, origen genético y profesionales que trabajan durante horas con las manos mojadas.

Tratamiento: dermatólogo.

Onicomicosis

Observación: lámina opaca y engrosada.

Las causas: infección por hongos.

Tratamiento: dermatológo.

Punteado blanco de la placa ungueal

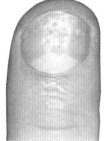

Observación: depresiones y puntitos blancos.

Las causas: psoriasis, alopecia areata, eczema.

Tratamiento: dermatólogo y/o podólogo.

recuerda

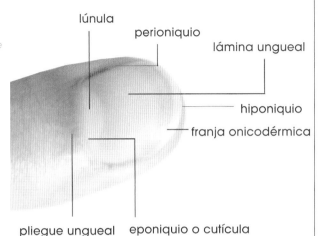

Lúnula: parte visible de la matriz, son células de queratina que no se han queratinizado por completo. Cualquier daño en esta zona puede provocar un daño permanente en la uña.

Perioniquio: pliegue lateral que protege la uña. La infección de esta piel es la paroniquia.

Lámina ungueal: parte que se extiende desde el borde de la matriz o lúnula hasta al hiponiquio. Forma una cobertura dura, lisa y ligeramente convexa.

Hiponiquio: zona de piel bajo la uña, entre el borde superior y la piel de la punta del dedo. Forma una barrera protectora que evita que bacterias, virus y hongos ataquen el lecho ungueal. La infección en esta zona puede dar lugar a la pérdida de la lámina ungueal.

Franja onicodérmica: es la zona que refleja la forma base de la uña. La manicura francesa se refiere a ella como la «línea de la sonrisa».

Epinoquio o cutícula: piel situada sobre la placa ungueal, tiene una función protectora. La cutícula es sólo una parte del epinoquio, situada en la parte inferior del mismo.

Pliegue ungueal: forma una barrera protectora que sella y protege la matriz.

Labels: lúnula · perioniquio · lámina ungueal · hiponiquio · franja onicodérmica · pliegue ungueal · eponiquio o cutícula

---

Paroniquia

Observación: pliegue ungueal inflamado.

Las causas: mala práctica de manicura, hábito de morderse la piel de la zona periungueal.

Tratamiento: dermatólogo.

Nigroniquia

Observación: mancha oscura en la placa ungueal.

Las causas: congénita o adquirida, tumor benigno o maligno o traumatismos.

Tratamiento: dermatógo y cirujano.

Uñas amarillas

Observación: placa ungueal amarillenta y engrosa.

Las causas: aplicación reiterada de malos productos o síntoma de otro tipo afección patológica.

Tratamiento: dermatólogo.

> ALTERACIONES NO PATOLÓGICAS

No son causadas por enfermedad y podremos trabajar sobre ellas siguiendo estas pautas:

Uñas quebradizas y abiertas a capas

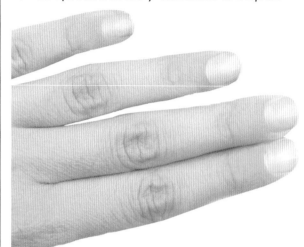

Tratamiento recomendado: utilizar una lima con alto gramaje para que el limado no sea agresivo y no abrir más las capas.

Recomendar un esmaltado permanente con un buen producto sobre la uña natural con el fin de protegerla y evitar su deterioro.

Los tratamientos continuados ayudarán a restablecer la normalidad en el resto de las uñas.

Uñas mordidas

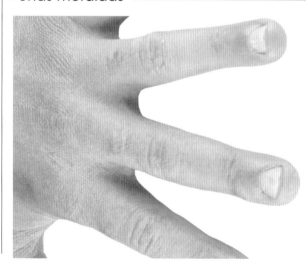

Tratamiento recomendado: es aconsejable la aplicación de un gel constructor sobre el largo de la uña para que le dure y no se la pueda morder.

Una vez que la uña vaya creciendo la iremos rellenando con esmaltado permanente sin quitar la escultura. De esta forma la uña se saneará después de dos o tres meses. El resultado será una uña natural larga.

También se pueden poner extensiones con tips o molde. El problema es que si el cliente tiende a morderlas termina por quitárselas. Además, al estar la uña tan débil y deteriorada a veces no aguanta la extensión.

Uñas débiles

Tratamiento recomendado: utilizar buenos productos y realizar una escultura permanente sobre la uña natural para protegerla.

No realizar extensiones para no debilitar más la uña.

Uñas con rotura por golpes

Tratamiento recomendado: realizar una escultura para que la uña crezca sin roturas y se sellen las capas.

También se puede hacer reparación con seda y esmaltado permanente.

recuerda

Uñas sanas y sin ninguna alteración

El cliente puede elegir, aunque siempre debemos recomendar productos de alta calidad y técnicas que no dañen la uña, como el esmaltado permanente, y que además se adapten a su personalidad y estilo.

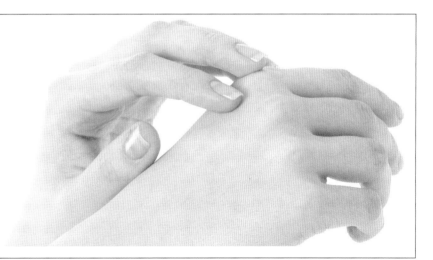

> UÑAS MORFOLÓGICAMENTE INCORRECTAS

Uñas planas o en forma de cuchara

En este caso el mejor punto de observación es de perfil.

Tratamiento recomendado: realizar una escultura con extensiones reforzando con el gel el punto más alto para que la uña vaya modificando la forma. Una vez que la escultura se haya realizado correctamente, se verá resultados después de muchas puestas.

Uñas sin curva *C*

El mejor punto de observación es de frente.

Tratamiento recomendado: realizar una escultura con extensión haciendo hincapié en su curva *C* para que la uña, tras varios tratamientos, vaya poco a poco adoptando esta forma.

recuerda

Las uñas están constituidas principalmente por una proteína fibrosa denominada queratina, que forma una placa dura, transparente y ligeramente convexa, cuyo grosor oscila entre los 0,5 y los 0,75 mm. Su coloración rosada se debe a la red de vasos sanguíneos que se ocultan bajo ella.

> ASPECTOS IMPORTANTES A TENER EN CUENTA

La preparación de las uñas es un aspecto principal y de gran relevancia para el resultado final en nuestro trabajo. Una buena preparación es una garantía de éxito.

Debemos tener en cuenta los siguientes requisitos:

Mejor realizar siempre la manicura en seco.

EL AGUA Y LA ESCULTURA

> El agua puede ser perjudicial para las uñas. La uña está compuesta por capas que son porosas, a través de las cuales penetra el agua, cualquier producto que apliquemos con posterioridad sella los poros e, indirectamente, favorece la proliferación de hongos que se desarrollan en ambientes húmedos. Es mejor evitar el agua en la escultura y, en caso de que se utilice, secar **totalmente** la uña antes de proceder a su aplicación.

Tampoco deberemos utilizar productos removedores que humedezcan en exceso la lámina ungueal. Además del riesgo de hongos, el producto que apliquemos a continuación puede que no se adhiera correctamente a consecuencia de esa humedad.

FICHA DE CLIENTE

> Los datos y las características de las manos y las uñas, así como el trabajo realizado deben quedar reflejados en la ficha personal del cliente con la finalidad de evaluar cada caso en concreto.

En la ficha hay que apuntar todo aquello que hayamos detectado tras el análisis de sus uñas, así como los tratamientos y productos que se van a utilizar. Esto es importante por varios motivos: por una parte, el cliente percibirá un trato personalizado que le inspirará una mayor confianza en el técnico y, por otra, permite obtener información sobre su satisfacción por el trabajo realizado y también conocer la evolución del mismo.

La ficha ha de ser sencilla y la información no debe ser excesiva o innecesaria. Los datos tienen que ser específicos y concretos para facilitar el trabajo al técnico, ayudar a dar un buen servicio y atención al cliente, maximizar los beneficios del tratamiento, ver su evolución e ir mejorando los mismos.

> Un ejemplo de ficha de cliente, puede ser:

ALTERACIONES DE LA PIEL Y UÑAS DE LAS MANOS

Datos personales

Apellidos y nombre: Fecha de nacimiento:

Dirección: Población:

Tel. particular: Móvil: Tel. trabajo:

ESTUDIO DE LAS ALTERACIONES DE LAS UÑAS DE LAS MANOS

- Coiloniquia ☐
- Leuconiquia ☐
- Melanoniquia ☐
- Nigroniquia ☐
- Onicofagia ☐
- Onicolisis ☐
- Onicomadesis ☐
- Onicomicosis ☐

- Onicoquicia ☐
- Padrastros ☐
- Paroniquia ☐
- Punteado ☐
- Síndrome de las uñas amarillas ☐
- Surco de Beau ☐
- Traquioniquia ☐
- Uñas amarillentas ☐

IZQUIERDA   DERECHA

Marcar en el dibujo el dedo de la mano donde se encuentra la lesión:

ESTUDIO DE LAS ALTERACIONES DE LA PIEL

- Callos
- Dishidrosis
- Eczema
- Hiperhidrosis
- Liquen plano
- Melanosis senil

- Psoriasis
- Queratosis palmar
- Verrugas
- Vitíligo
- Sabañones
- Otras enfermedades: artritis reumatoide y artrosis

Recomendaciones:

LIMADO

> Se deben **limar** las uñas siguiendo estas pautas:

A

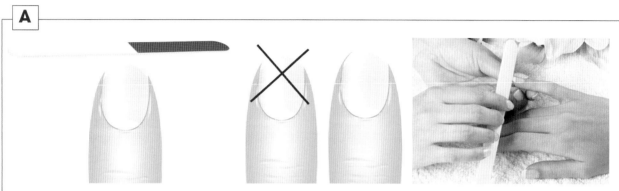

> Limar el largo preferiblemente en una dirección y con la lima formando un ángulo de 90° respecto a los laterales. Con ello evitaremos abrir la uña a capas, especialmente si estas son finas. Si inclinamos la lima, nos llevamos las capas más profundas.

El largo de la uña nunca deberá ser mayor que la mitad del cuerpo de esta.

B **C**

recuerda

Limar adecuando la forma a la técnica que se vaya a utilizar: extensiones o moldes.

> Limar los lados rectos.

> Debemos conseguir una sensación de espejo. Es decir, que al trazar una línea imaginaria en el centro, ambos lados sean simétricos.

D

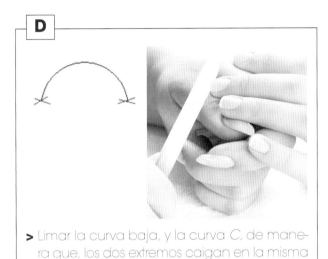

> Limar la curva baja, y la curva C, de manera que, los dos extremos caigan en la misma altura.

E

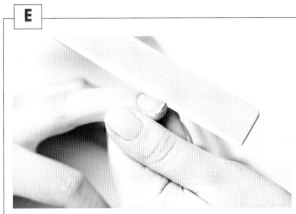

> Dar forma a los lados (en función de la que deseemos conseguir) apoyando la lima en diferentes puntos del borde libre).

F

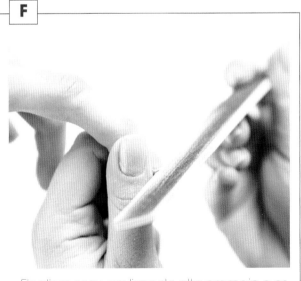

> Finalizar con una lima de alto gramaje o especial para sellar las capas de la uña.

recuerda

Al limar NO utilizar limas de metal o aquellas que contengan briznas de metal, ya que pueden dañar las capas de queratina. Son preferibles las de cartón, madera o limas de cristal.

Sujetar cada dedo de la clienta con nuestros dedos índice y pulgar. El limado se efectúa desplazando la lima por el contorno de la lámina desde el surco periungueal hacia el centro del borde libre, adecuando la forma y longitud a la morfología de las manos y características de las uñas.

> PASO A PASO
EN LA PREPARACIÓN DE LAS UÑAS

1. Desinfectar con antihongos las manos del técnico y cliente

No debemos olvidar la importancia de la higiene y desinfección en todo el proceso, tanto los utensilios como las manos o pies del cliente y, por supuesto, las manos del técnico han de estar también perfectamente limpias y desinfectadas

2. Quitar el esmalte y limpiar la uña y el borde libre

Para retirar cualquier resto de esmalte pasaremos un algodón empapado en quitaesmaltes por todo la lámina y, ayudándonos de un palito de naranjo con algodón en su extremo, repasamos también el borde libre de la uña.

3.

Analizar la uña

A través de la lupa observamos las características generales de las uñas.

A continuación comprobamos su morfología, desde arriba, de perfil y de frente.

4. Rellenar la ficha del cliente

Todos los datos e información obtenida a través de la observación y análisis de la uña se recogen en la ficha técnica del cliente.

5. Limar la uña

Proceder al limado de la uña siguiendo los pasos explicados y con la lima formando un ángulo recto respecto a la uña.

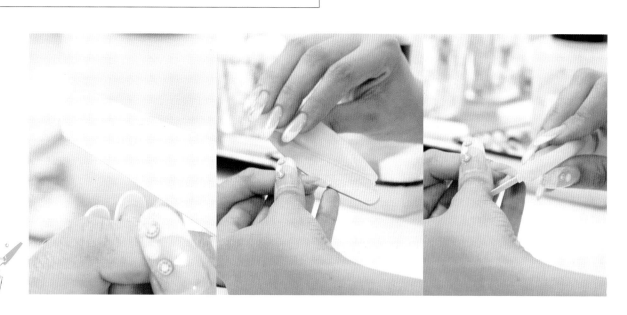

6. Retirar la cutícula

A continuación empujar la cutícula con un utensilio metálico específico. Si hubiera algún padrasto se puede utilizar el alicante.

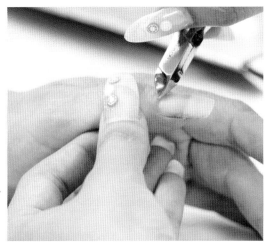

recuerda ————————

es importante realizar la manicura en seco, sin aplicar removedores sin agua para evitar que se nos levante el producto y prevenir hongos

7. Limpieza

Limpiar y desinfectar las manos y las uñas y secar cuidadosamente para que la humedad no interfiera en el proceso de pulido.

recuerda

Limar la uña en una única dirección: primero el lateral derecho, luego el izquierdo y por último la parte central del borde libre.

Es recomendable suavizar el borde libre al finalizar, limando de arriba a abajo y de abajo a arriba para evitar que se descamen las uñas.

8.

Pulir la uña

Por último pulir la uña seleccionando el *buffer* adecuado para no debilitarla y a continuación retirar cualquier resto con el cepillo. Lo pasamos suave por la uña para quitar el exceso de grasa y las células muertas.

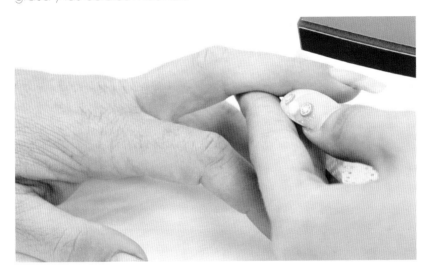

3 LA ESCULTURA DE UÑAS

La escultura de uñas es hoy uno de los servicios más demandados en el mundo de la estética. Las clientas suelen pedir este tipo de uñas para:

> Llevar las uñas siempre arregladas y no preocuparse de ellas.

> Alargar sus uñas naturales.

> Mejorar su apariencia.

Lo primero que debemos conocer son los distintos tipos de escultura que existen en el mercado, cuáles son sus principales características y cómo se debe trabajar correctamente cada una de ellas.

Solo desde el conocimiento y control de cada técnica podremos asesorar profesionalmente a nuestros clientes y personalizar el trabajo.

> LA FORMACIÓN

Dentro de la escultura hay dos aspectos fundamentales que el técnico no puede olvidar: la buena formación técnica y el conocimiento del producto

> **La formación:** el mercado de la escultura es muy dinámico en el que cada día se incorporan nuevas técnicas y productos, lo que exige una constante puesta al día para poder ser competitivos.

Para dar una respuesta rápida y profesional a la demanda, hay que tener los conocimientos técnicos y destrezas necesarias y saber solucionar los posibles problemas con los que nos enfrentemos. Para ello hay que seguir siempre aprendiendo, invertir en formación y reciclaje profesional acudiendo a cursos serios y rigurosos.

> **El producto:** existe gran variedad de productos dentro de cada técnica con características muy diferentes que debemos tener en cuenta a la hora de trabajar, ya que de ello depende el buen resultado final. Dentro de este amplio abanico productos, los hay de distintos precios y calidades y si no se elige el adecuado difícilmente se conseguirá un trabajo profesional, por ello, en su elección es muy importante seguir una serie de pautas:

- Utilizar productos de calidad, con buenas composiciones. tanto para acrílico, gel y esmaltado permanente. Actualmente se ha mejorado muchísimo la formulación de los productos, los denominados de tercera generación son los que menos dañan la uña natural y son más resistentes.

- Elegir el producto más adecuado para la técnica, el que sea más fácil y rápido de aplicar, y dé menos problemas. Esto es una ventaja muy grande no solo para el técnico sino también para el cliente. Las técnicas evolucionan y debemos elegir un producto que evolucione con ellas, que no se quede atrasado.

- Es muy importante, trabajar con PRODUCTOS NO TÓXICOS. Evitar la utilización de productos que puedan dar problemas, y que puedan tener una repercusión muy negativa, no solo en el técnico que los manipula sino en los clientes a los que se los aplicamos.

- Y profundizando más, dentro de cada técnica hay productos con características diferentes, que explicaremos más adelante en el desarrollo de cada una de ellas.

recuerda

FORMACIÓN y PRODUCTO son dos palabras en el mundo de la escultura que deben ir totalmente unidas para ser competitivo y diferenciarse en el mercado. Si tienes el mejor producto entre tus manos, pero si no conoces bien las técnicas ni te has formado en el campo de la escultura no te sirve para nada, ya que no vas a conseguir una buena escultura, ni trabajarás con la seguridad que precisa y demanda el cliente en un servicio tan especializado como este. Y, al contrario, formación sin un buen producto tampoco da un buen resultado, ya que la duración, la técnica, la aplicación y el resultado cambia sustancialmente de uno a otro.

> LA IMPORTANCIA DE CONOCER LAS DIFERENTES TÉCNICAS

Como buenos profesionales de un mundo tan especializado como es la escultura, hay que conocer todas las técnicas de escultura. Aunque luego, en nuestra experiencia profesional optemos por una de ellas más que por otra, pero para poder elegir con criterio debemos tener conocimiento de todas ellas.

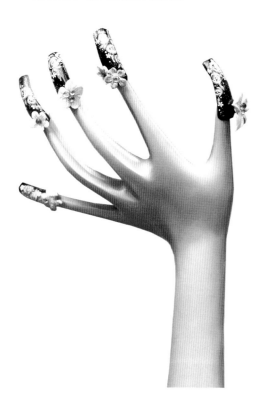

Si somos especialistas, tenemos que intentar ser los mejores en lo que hacemos, y saber realizar distintas propuestas. Como profesionales podemos argumentar nuestra decisión sobre una técnica u otra, pero nunca podemos dejar de aplicarla por desconocimiento y teniendo en cuenta que la última palabra es la de la clienta.

La escultura evoluciona en procesos, técnicas y productos y requiere una formación continua para poder crecer como profesionales y ser siempre uno de los mejores en nuestro trabajo.

> CARACTERÍSTICAS DE CADA TÉCNICA

acrílico

> Técnica de escultura más antigua.

> También llamada «porcelana».

> Construcción de uñas en distintas tonalidades, ideal para decorar uñas.

> Recomendada para uñas mordidas.

> La técnica consiste en mezclar un polvo (polímero) con un líquido (monómero), que se solidifica con el aire, formando la escultura.

> Se pueden realizar extensiones sobre tip o molde y diversas técnicas de decoración.

> Es una técnica que requiere practica y experiencia, no es fácil de aplicar.

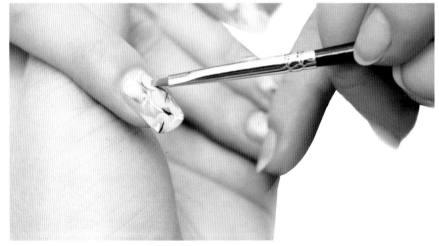

fibra de vidrio

> Es una técnica antigua que ha ido evolucionando. En la actualidad se ha sustituido la fibra de vidrio por el polvo y la resina. Este sistema es mucho más rápido y fácil de aplicar y también más higiénico. Se puede hacer una puesta de uñas en 25 minutos.

> Requiere la utilización de tips.

> No necesita gran destreza a nivel técnico.

> Daña la uña natural.

> Es muy original porque hay tips con diversas decoraciones.

recuerda

Hace años esta técnica se realizaba con una especie de tela (fibra de vidrio) que se adhería sobre la uña o sobre tip, aportando dureza a la uña. A continuación se aplicaban varias capas de resina para proporcionar más cuerpo. Era una técnica lenta, la fibra se deshilachaba, era muy rígida, perjudicial para la uña y, además, difícilmente se obtenía una superficie lisa y estética.

gel

> Es una técnica más moderna.

> Muy demandada hoy en día.

> Hay una gran diversidad de geles y depende de sus propiedades puede cumplir funciones muy diferentes.

> Es un producto que se cura en lámpara.

> Hay geles transparentes y de diferentes colores.

> Son constructores aunque más flexibles que el acrílico, es un producto ideal para dar forma a las uñas, para uñas mordidas, desniveladas...

> Se pueden realizar extensiones sobre tip o molde y diversas técnicas de decoración.

> Realizar un buen trabajo de gel requiere una técnica y una práctica para no tener problemas con el producto.

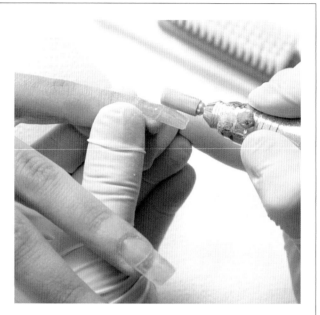

esmaltado permanente

> Es la técnica más novedosa en el mercado.

> Es **fácil** y **rápida** de aplicar para cualquier técnico de manicura, no necesita una formación especializada.

> No se considera un producto de escultura, debido a que no se pueden realizar grandes construcciones por su **flexibilidad**.

> Se puede aplicar encima y combinar de cualquiera de las técnicas anteriores ofreciendo muchos beneficios.

> Es un producto que cuida la uña natural.

> La **protege** y **no necesita limar la uña natural** para su aplicación.

> **Se remueve** con acetona.

> Con las nuevas formulaciones en esmaltado permanente, gracias a los **fotoiniciadores** que poseen se cura tanto en lámpara UVA como en lámpara LED (que agiliza mucho el tiempo de secado).

VENTAJAS Y DESVENTAJAS DE LAS DISTINTAS TÉCNICAS

> Aunque este apartado es un poco subjetivo, ya que cada técnico tiene unos gustos y unas experiencias diferentes con las técnicas, hay aspectos objetivos que las pueden diferenciar. Podríamos decir que no hay ninguna técnica mejor o peor sino diferente dependiendo del resultado que busquemos.

acrílico

Ventajas

> Lleva muchos años en el mercado y hay clientes adictos a esta técnica y que difícilmente van a cambiar.

> El producto tiene una mayor dureza.

> Permite realizar trabajos muy diferentes y decoraciones elaboradas.

Inconvenientes

> Dificultad de aplicación.

> Se rompe con facilidad porque es un producto muy poco flexible.

> No le da movilidad a la uña natural.

> Su olor es fuerte y hay que tener cuidado al trabajar porque algunos acrílicos son tóxicos.

gel

Ventajas

> Aplicación más fácil.

> Técnica muy demandada actualmente.

> Ofrece múltiples posibilidades; hay geles con características y propiedades muy diferentes.

> No huele, ni es tóxico.

> Se pueden realizar muy buenas construcciones.

Inconvenientes

> Una mala técnica puede perjudicar la uña e incluso desprender la lámina.

> Existen importantes diferencias entre los geles y no todos tienen las mismas ventajas o inconveniente.

fibra de vidrio

Ventajas

> Su aplicación es fácil y rápida.

> Se pueden conseguir resultados muy vistosos y diferentes dada la variedad de tips decorados que podemos encontrar.

> Está indicada para arreglar uñas rotas o partidas.

Inconvenientes

> Excesivamente rígidas, tras su aplicación pueden provocar molestias.

> Dañan mucho la uña natural.

esmaltado permanente

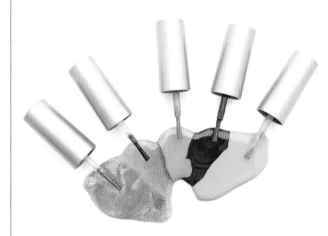

El esmaltado permanente no se puede considerar totalmente escultura, pero si una técnica que se puede combinar con todas las anteriores ya que se puede aplicar encima de cualquier gel o acrílico.

Ventajas

> Fácil y rápido de aplicar.

> No daña la uña natural, sino que la cuida y la protege.

> No necesita limar la uña natural.

> Puede actuar como tratamiento de algunas uñas.

> Existe una gran variedad de colores.

> Presenta una gran flexibilidad por lo que le da movilidad a la uña.

> Se puede aplicar encima de cualquier técnica.

> Suele ser una técnica *soak off* (removible), se quita con un producto cuando el cliente lo desee.

Inconvenientes

> Es una técnica que no permite hacer grandes construcciones debido a su excesiva flexibilidad.

> APLICACIÓN CORRECTA DEL MOLDE

Cuando queremos realizar una extensión con molde, lo más importante es la colocación de este. En este punto tenemos que buscar la perfección, ya que si no está puesto correctamente la escultura se puede romper y posiblemente no dure. Por ello, hasta que no tengamos la certeza de que el molde está colocado de forma correcta, no continuaremos con el paso siguiente, ya que de antemano sabemos que no va a aguantar.

Aunque hay varias formas de aplicar el molde, proponemos seguir estas pautas:

1.

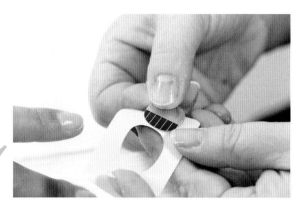

A la hora de la preparación de la uña se debe limar y dar la forma para adaptarla al molde. Si dejamos las uñas con picos o muy cuadradas entre el molde y la uña habrá un hueco y no se ajustará totalmente.

recuerda

Se pueden hacer cortes en el borde del molde para adaptar la conexión a la uña natural y que sea más fácil de colocar. También se puede cortar el molde por sus extremos para poder ajustarlo.

2.

Reforzarlo por detrás.

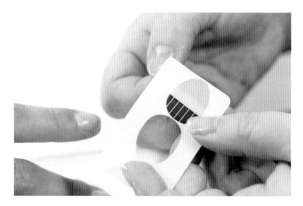

3. Dar forma al molde y cogerlo por sus extremos con las dos manos para encajarlo de frente.

4. Rellenar la curva C interna de la uña natural con el molde.

5. Una vez que vemos que lo hemos metido correctamente en los dos extremos y el molde está adaptado cerrar.

6. Se puede dar forma al ancho de la curva C interna utilizando las pinzas para esculpir.

¿CÓMO SABEMOS QUE EL MOLDE ESTÁ PUESTO CORRECTAMENTE?

colocación correcta

Nos hemos metido bien en los dos extremos. El centro de la uña está totalmente pegado al molde, no hay hueco.

colocación incorrecta

Si el molde queda inclinado hacia un lado o bien no sigue la curvatura de la uña, la escultura realizada adquirirá esta misma forma. Si nos queda inclinado hacia arriba o hacia abajo, la uña no quedará en línea con el dedo y el resultado es antiestético

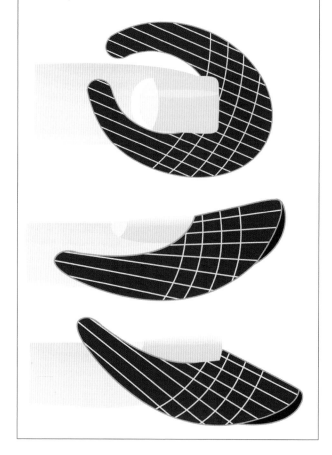

recuerda

Cuando estemos realizando las extensiones en una mano poner el molde, aplicar y curar el gel de uña en uña (mientras seca ir aplicando el molde en la otra mano), solo cuando estén colocadas correctamente aplicamos el adhesivo. Esto es porque si dejamos el pegamento mucho tiempo se acaban despegando los moldes y al final el molde se mueve. Hay que volver a iniciar el proceso, lo que supone una pérdida de tiempo y un resultado menos satisfactorio.

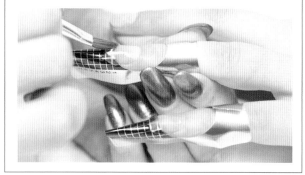

> ¿CÓMO APLICAR UN TIP?

1. Medimos la uña de gel postiza o tip, con la uña natural, para elegir el número que encaje perfectamente.

2. Damos forma y terminamos de preparar cada uno de los tips de gel limándolos arriba y a los lados. Aplicamos una pequeña gota de pegamento en la uña postiza para proceder al pegado.

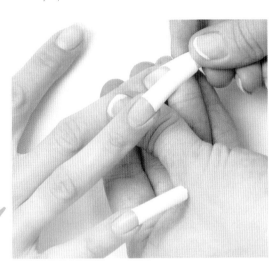

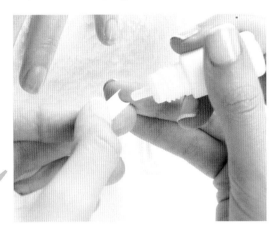

3. Las uñas postizas se pegan primero de frente, colocándola a 45° sobre la uña natural y luego bajando y haciendo una leve presión.

4. Cortamos la uña de gel postiza en el largo deseado.

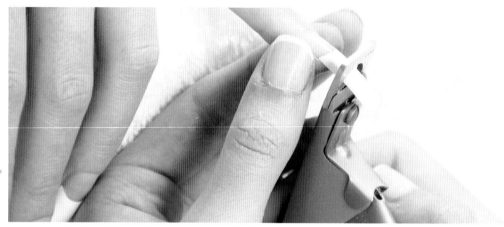

5. Aplicamos una pequeña cantidad de ablanda tips en el punto donde se une la uña de gel postiza y la natural y limamos con la parte más suave para conseguir que la división entre uña natural y postiza no se note.

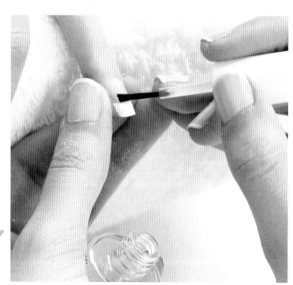 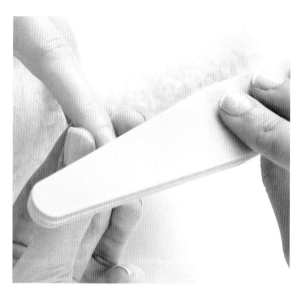

recuerda

Una vez aplicados todos los tip, las uñas estarán preparadas para realizar la técnica que permita dar la forma y longitud que se precise, de acuerdo al resultado final deseado.

> PAUTAS PARA UNA ESCULTURA PERFECTA

Cuando realizamos una escultura con cualquiera de las técnicas, debemos saber cómo aplicarla para obtener un resultado óptimo. Hay que tener muy claro que el resultado final de la uña esculpida es el resultado de nuestra técnica y que cada caso puede tener diferentes opciones. Por ejemplo, si hemos esculpido con un producto muy fuerte que nos cuesta trabajar con la lima podemos usar el torno.

Estas son las pautas generales a seguir para la corrección de la uña mediante el limado:

1. Limar el frente con la lima a 90°.

2. Limar los lados rectos, en línea. El ancho del borde libre debe ser igual que el ancho de la uña (si no nos quedará en forma de pala).

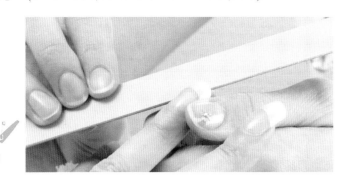

3. Limar la curva baja de la uña. Los dos extremos de la curva C deben caer al mismo lado.

4. Dar forma a la uña: oval, cuadrada oval-cuadrada, *estiletto*, sesgada. Limar solo el área de la curva *C*, se limará siempre hacia los lados desde el centro (sin limar este) primero un lado y luego el otro, hasta que consigamos que la curva C tenga el mismo grosor y realmente tenga forma de C. A continuación pasar a limar el barril, de la misma forma: del centro de la uña a un lado y luego el otro, sin limar el centro.

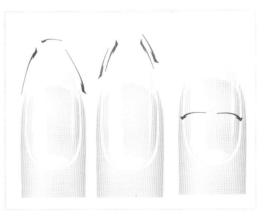

5. Limar el área de la cutícula, para rebajar la línea de producto para que al crecimiento se note lo menos posible.

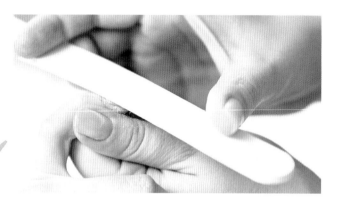

6. Por último, pasar un *buffer* por toda la uña para corregir imperfecciones.

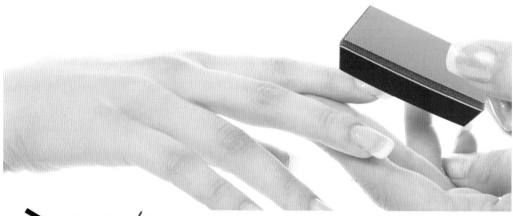

recuerda

Una vez que se haya terminado se realizará el análisis de la uña para comprobar que está perfecta, si no corregiremos con la lima. Siempre dispondremos de limas y *buffer* de distinto gramaje para poder retirar la cantidad de producto necesario cuando trabajemos la escultura.

IMPORTANTE: Realizar una mala escultura puede ser muy perjudicial para la uña e incluso afectar a su morfología.

> TÉCNICAS DE LIMADO PARA LOS DIFERENTES ACABADOS DE ESCULTURA

Cuadrada

> Utilizar la lima a unos 90° de ángulo al borde libre de la uña.

Cuadrada-oval

> Utilizar la lima a unos 45° de ángulo al borde libre de la uña.

Ovalada

> Mantener la lima a 45° hacia el borde libre de la uña. Mover la lima de un lado a otro realizando el movimiento de balanceo.

Stiletto

> Colocamos la lima tomando de referencia el centro de la uña, que va a ser nuestro acabado en punta perfecta. El nacimiento del borde libre debe respetar el ancho de la uña para evitar su rotura.

Sesgada

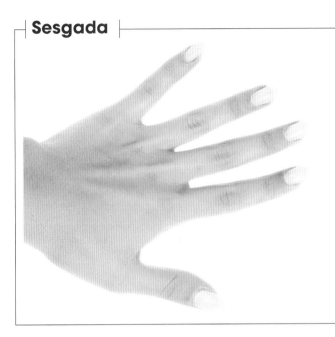

> Colocamos la lima en un extremo del borde libre, limando con la lima a 90°, hasta que el ángulo nos quede lateral-frontal.

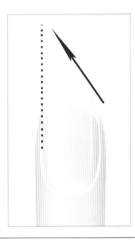

Problemas más frecuentes y sus posibles causas

Se levanta. Causas:

> Si en su aplicación se han tocado los lados o la cutícula.

> Por una aplicación demasiado gruesa del producto, ya que la lámpara no lo cura correctamente.

> Por no haber sellado bien o haber sellado en exceso y dejar una capa grueso en la punta.

> Por no esperar el tiempo de secado o porque la lámpara esté gastada o en mal estado.

> Si el pincel estaba húmedo.

> Si hemos comenzado la aplicación del producto con la uña sucia o húmeda.

> Utilización de aceites o cremas en la preparación de la uña, o cualquier otro producto.

> Utilización de productos excesivamente fuertes.

Se encoge y al limpiar se quita fácilmente. Causas:

> La uña ha quedado mojada.

> No se ha curado correctamente.

> Se ha aplicado el gel demasiado grueso y la capa de abajo al no curar, encoje.

> No esperar el tiempo de cura adecuado.

> Mala colocación del dedo (si queda de lado, especialmente el pulgar) hay parte de la uña que no se cura y se va al limpiar.

> Se limpia antes de aplicar el sellador en la uña.

No queda limpio y hay pelusa y polvo. Causas:

> El área de trabajo no está limpia.

> Limpiar la mesa cada vez que se hace polvo y apartar el pincel del polvo.

> Pincel sucio y con pelusas.

> No trabajar sobre papel y sintéticos que no suelten pelusas y estén limpios.

> RELACIÓN DE LA ESCULTURA Y LA DECORACIÓN

Las uñas largas son más adecuadas para realizar diseños y decoraciones más complejas puesto que ofrecen un espacio mayor para realizarlas.

Escultura cuadrada

También es importante adaptar la escultura al diseño previsto ya que en algunos casos escultura y decoración van totalmente unidos.

En este caso, la forma cuadrada realza la decoración del borde libre.

Escultura cuadrada-oval

Escultura en gel maquillada en francesa negra. La línea de la sonrisa, en contraposición con la forma del borde libre, forma un pico. Los dibujos minuciosos en blanco en todas las uñas excepto en el anular de una sola mano en la que se ha decorado con motivo floral y en rosa. El resultado final es un contraste de formas y dibujos muy armonioso.

Escultura ovalada

Una opción clásica de escultura en gel con el borde ovalado sobre la que se ha realizado un diseño con esmaltes acrílicos en tono azul pastel e irisado, rematado con un pequeño cristal de Swarovski.

⊣ **Escultura *stiletto*** ⊢

La decoración en la que el borde libre, de motivos marineros, está realizada a rayas horizontales precisa que la longitud y forma de la uña contrarresten el efecto de horizontalidad. El *stiletto*, en este caso, es la base ideal.

Escultura sesgada

La fantasía de la decoración, con motivos felinos está en consonancia con la escultura en la que se alterna la forma ovalada, casi en pico, con la sesgada.

En el caso de la imagen inferior, se ha trabajado en gel el borde libre utilizando purpurinas amarillas en el diseño. La escultura proporciona mayor longitud a la uña y acaba también en forma sesgada.

4 DIFERENTES TÉCNICAS DE ESCULTURA: UÑAS EN ACRÍLICO

Actualmente encontramos en el mercado productos de última generación cuyos componentes poseen la mejor composición y última tecnología en aplicación, una gran resistencia, elasticidad, acabado muy fino y una apariencia bella y natural. Si bien, para conseguir este resultado hay que reunir las siguientes condiciones:

> Que el técnico conozca perfectamente el producto con el que esté trabajando.

> Que realice las técnicas en condiciones adecuadas.

> Que haga un uso correcto del producto.

Un perfecto acabado en la escultura de uñas
se consigue cuando el profesional controla
todos los factores que intervienen en su aplicación.

> ¿QUÉ SON LAS UÑAS ACRÍLICAS?

El acrílico es uno de los sistemas de implantes de uñas artificiales más demandados en la actualidad. Debido a la falta de elasticidad que poseen no soportan impactos y pueden llegar a romperse con facilidad.

¿CÓMO SE REALIZA UNA CORRECTA APLICACIÓN DE ACRÍLICO?

> Lo más importante que hay que tener en cuenta es una buena técnica de aplicación. Es aconsejable seguir el protocolo que proporciona la casa que comercializa el producto que utilicemos. Si variamos su forma de aplicación o cometemos algún error en la misma no se obtendrá el resultado deseado.

recuerda

Hay algo importante y que muchos técnicos desconocen y es que no deben mezclar productos de una marca con los de otra debido a que su composición puede ser distinta y no dar el resultado deseado.

PASO A PASO CON ACRÍLICO

> Los pasos de un protocolo genérico son los siguientes:

1. Desinfectar y preparar la uña para la aplicación teniendo especial cuidado en no dañarla.

2. Deshidratar. Aplicación de *primer*. Hay que tener especial cuidado de que no toque piel, ni cutículas, aplicar solo en la uña natural.

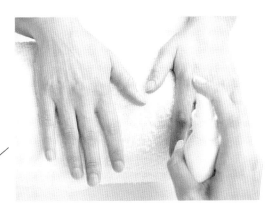

3. Aplicación de moldes.

4. Aplicación del producto. Se humedece el pincel en el líquido acrílico y a continuación se introduce en el godet que contiene el polvo del color deseado. Al instante se forma una bolita que iremos colocando sobre la uña y el molde hasta crear la escultura con el grosor y largo deseado.

5. Retirada de moldes.

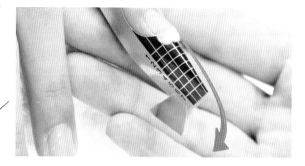

recuerda

Es muy importante que los pinceles que se vayan a usar estén en perfectas condiciones ya que es nuestra principal herramienta de trabajo. Mantenerlos siempre lejos del polvo.

6. Limado. Tener especial cuidado en no agredir la zona de cutícula y laterales de la uña ya que usamos limas de gramaje alto para cortar el producto y podemos realizar cortes en los dedos.

7. Pulido. Pasar la pulidora para desvanecer las posibles ralladuras del limado anterior.

8. Abrillantado. Pasar el pulidor para dejar más traslucido y brillante nuestro trabajo.

9. Aplicaremos un aceite de cutículas realizando un pequeño masaje en cada uña.

10.

Esmaltaremos si se considera necesario, siempre dependiendo del trabajo realizado y el resultado que deseemos obtener.

> ¿PARA QUIÉNES RECOMENDAMOS UNAS UÑAS ACRÍLICAS?

Son recomendadas para:

> Personas que se muerden las uñas.

> Personas nerviosas que se dan golpes con mucha facilidad.

> Para uñas extremadamente largas.

> Para caballeros.

> Para reconstrucciones de uñas por accidentes.

recuerda

La aplicación de escultura con acrílico no varía, pero en el caso del relleno, en vez de trabajar sobre la uña natural se hará sobre la escultura ya aplicada para retocar la comprobación del crecimiento de la uña.

PASO A PASO CON ACRÍLICO, ESMALTADO EN GEL Y RELLENO CON ACRÍLICO

1. Nos encontramos con unas uñas que tienen una puesta de acrílico con tres semanas y vamos a hacer un relleno utilizando la técnica uñas acrílicas con french esmaltada en gel.

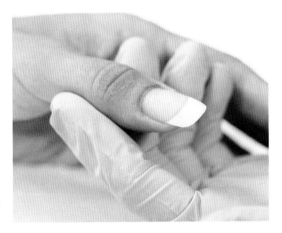

recuerda

Recordar que todos los trabajos se comienzan desinfectando las manos, tanto del cliente como del profesional.

En el caso de que este proceso se realizara sobre la uña natural, utilizaríamos para preparar la lámina una lima de gramaje 180 y, en la zona de la cutícula la fresa *smoll preper*.

2. Rebajamos las capas más superficial de la escultura de acrílico con el torno,

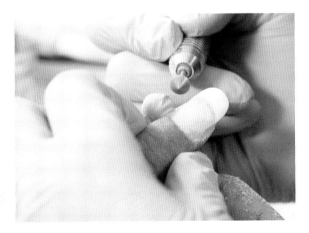

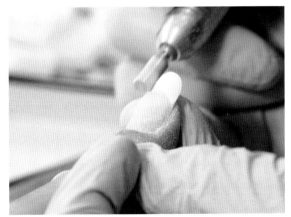

3. A continuación afinamos con la lima, como se realiza habitualmente la escultura para conseguir una uña fina y perfecta, como si fuera natural, y poder comenzar una nueva aplicación.

4.

Una vez preparada para rellenar, el proceso de la escultura con acrílico es el mismo que se haría sobre la uña natural. Se deshidrata y se aplica *primer* sin ácido.

recuerda

Si precisáramos realizar extensión, se colocaría el molde. En este caso, como no es necesario, trabajamos directamente sobre la puesta anterior de acrílico.

5. Comenzamos a esculpir aplicando sobre la lámina ungueal acrílico rosa.

6.

Sobre el borde libre utilizamos el color blanco.

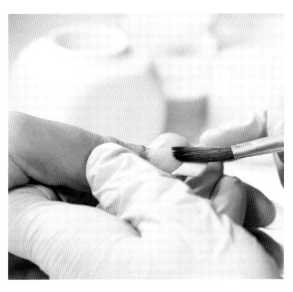

7. Realizamos el *pinch* ayudándonos de pinza y *stics* para realizar la curva C o túnel de la uña.

8. Procedemos al limado siguiendo las pautas ya explicadas.

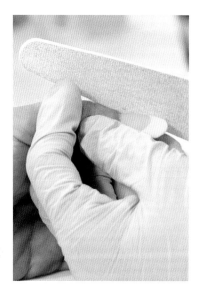  

9.

Se retira cualquier resto de la uña y se limpian, sin mojarlas, la uña está preparada para el esmaltado o decoración posterior.

RESULTADO FINAL

10.

En este caso se realiza un esmaltado permanente en francesa.

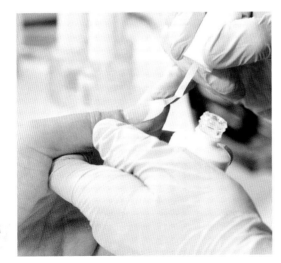

5 UÑAS CON GEL Y ESMALTADO PERMANENTE

Es un producto de escultura muy demandado en el mercado de las uñas. Dentro de los geles, nos encontramos con productos de propiedades y características muy diferentes que es necesario conocer muy bien pues afectan directamente a la técnica de aplicación y al resultado final.

No todos los geles son iguales y algunos pueden incluso resultar perjudiciales para la uña natural.

> TIPOS DE GEL

> Las diferentes propiedades y características que presentan nos permite elegir el que mejor se adapte a las necesidades y trabajo que se vaya a realizar. Podrían clasificarse en:

- **Geles fáciles y rápidos de aplicar.**
- **Geles con buenas composiciones.** Es importante que el profesional se informe y conozca los ingredientes y composición del producto que va a utilizar ya que no todos son iguales y, en función de su composición, la adhesión a la uña será mejor, tendrá mayor duración y, en definitiva facilitará el trabajo y se obtendrá mejores resultados.

recuerda

Es imprescindible que el profesional esté informado de los distintos ingredientes por los que está formado el gel, como se ha explicado,

- **Geles más flexibles o menos flexibles.** No todos los geles tienen la misma flexibilidad y se deben elegir en función del trabajo que realicemos. Para grandes construcciones y esculturas necesitamos geles menos flexibles; pero, no hay que olvidar que el gel más flexible protege y cuida más la uña natural y, por otro lado, es más resistente a los golpes y se rompe con menor facilidad.

- **Geles removibles y geles no removibles.** Hay geles que cuentan con un removedor que ayuda a despegarlo de la uña sin dañarla y sin necesidad de limar el producto. Lo recomendable es tener los dos tipos de geles. porque en ocasiones es prioritario, por el tipo de construcción, que no se le mueva el producto y, en otras, podremos elegir otro que proteja más la uña.

- **Geles autonivelables y geles no nivelables o menos nivelables.** Cuanto más nivelables, más facilitan el trabajo al técnico y mejor es el resultado.

- **Su formulación molecular.** Dependiendo de su formulación molecular la fusión de la cadena de polímeros, puede variar provocando mayor o menor retracción sobre la uña. Los últimos geles, denominados de tercera generación, son los más aconsejables, perjudican menos la uña y son resistentes y duraderos.

recuerda

Dentro de los geles que son removibles hay mejores y peores, pero siempre tenemos que tener en cuenta que un gel que es removible es menos resistente.

> PAUTAS PARA LA CORRECTA APLICACIÓN DEL GEL

> Tener bien preparado y limpio el pincel de la última aplicación.

> Coger la proporción de producto necesaria.

> Descargar el producto en el centro de la uña y trabajarlo sin tocar mucho el centro porque sino quitamos la curva C.

> Desde el centro llevar el producto a la cutícula y barrer hacia delante hasta la punta teniendo cuidado con el centro.

> Si nos falta darle curvatura a la uña, hacerlo levantando el pincel creando un hilo con el producto para poder trabajar.

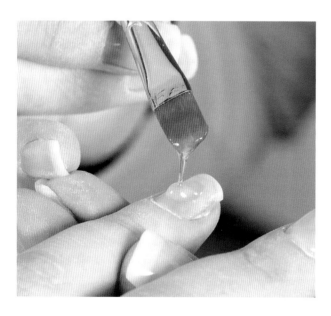

recuerda

El paso a paso que detallamos a continuación, es la forma más completa y compleja de realizar una construcción de gel, utilizando geles constructores y acabado en francesa. Si bien, luego se explicarán otras opciones más sencillas y rápidas.

PASO A PASO DE EXTENSIONES DE GEL ACABADO EN FRANCESA

1. Se prepara la uña para gel aplicando un deshidratador y antibacteriano por la uña y la cutícula para evitar el exceso de grasa en la uña y evitar el levantamiento.

2. Aplicar el molde.

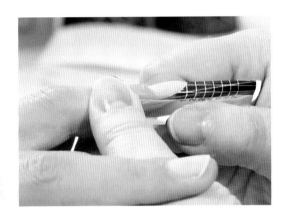

3. Aplicar solo sobre la uña una base adherente para fijar las capas superiores de gel. Aplicarla aplastando el pincel y haciendo pequeños círculos para que penetre bien en los poros de la uña.

4. Secar en lámpara UVA 2 minutos.

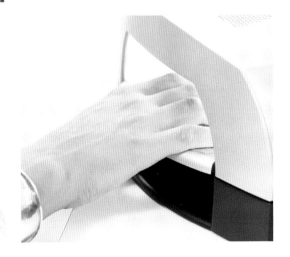

5.
Retirar el exceso de producto con un pincel en seco.

6.
Coger con el pincel el gel (transparente) y descargar en el centro de la uña.

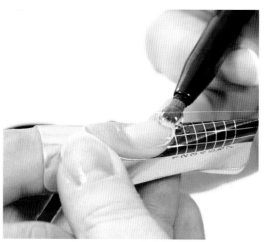

7.
Aplicación del gel sobre la uña. Marcar los límites partiendo de la cutícula, sin tocarla, llevando el producto por el resto de la uña hasta rellenar la parte del borde libre del molde que deseemos alargar.

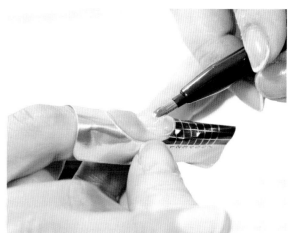

8. Secar en lámpara UVA 2 minutos.

9. Antes de retirar el molde, con unas pinzas para esculpir damos forma al ancho de la curva C interna.

10. Quitar el molde.

11.

Reforzamos la curva C interna, para que la uña adopte con el gel la forma correcta. Lo haremos, como vemos en la imagen, con unas barritas especiales y adaptando la forma y tamaño a cada tipo de uña.

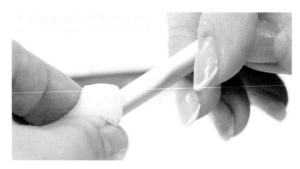

12.

Limpiar con una esponjita y *cleanser*.

13.

Una vez que hemos dado la longitud necesaria, empezamos a trabajar un poco con la lima, aunque todavía no tengamos hecha la construcción.

Con un cepillo retiramos el polvo y limpiamos bien para seguir trabajando con el gel.

14.

15.

Con el pincel cogemos gel color rosa (constructor) y lo aplicamos hasta la línea de la sonrisa.

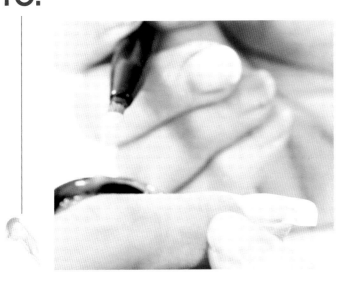

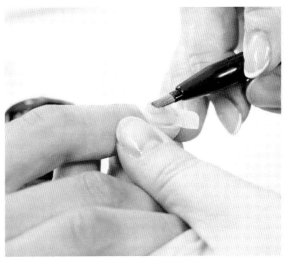

16.

Haremos lo mismo con el constructor blanco para aplicarlo en la sonrisa.

17.

Secar en lámpara UVA 2 minutos.

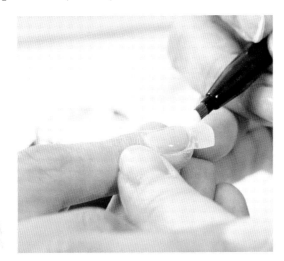

18.
Aplicar el gel sobre toda la uña, construyendo correctamente su punto más alto y las zonas a reforzar.

19.
Secar en lámpara UVA 2 minutos.

20.
Limpiar con una esponjita y *cleanser*.

21.

Se lima y pule la uña.

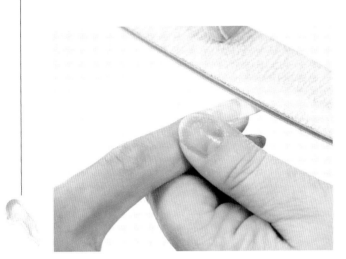

22.

Aplicar finalizador y brillo.

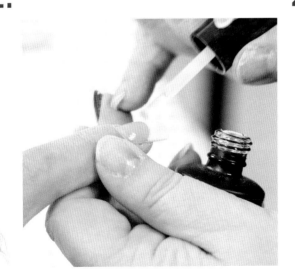

23.

Secar en lámpara UVA 2 minutos.

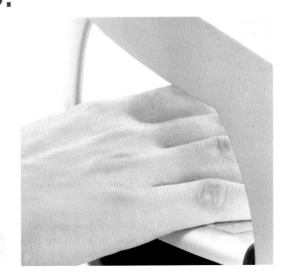

24.

Limpiar con una esponjita y *cleanser.*

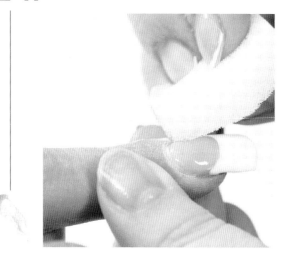

RESULTADO FINAL

25.

Aplicar aceite en la cutícula.

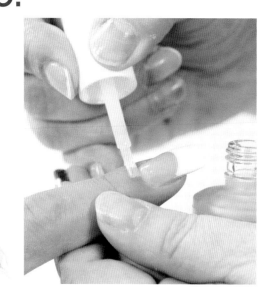

PASO A PASO DE EXTENSIONES DE GEL ACABADO EN ESMALTE PERMANENTE

> Esta opción es más rápida ya se suprimen varios pasos realizando directamente una extensión transparente en vez de hacer la construcción completa con los geles de francesa. El acabado, dependiendo de la elección de la clienta, podrá hacerse en francesa o bien esmaltado permanente.

1. Preparación de la uña para gel. Aplicación de un deshidratador y antibacteriano por la uña y la cutícula para fijar mejor el gel.

2. Aplicar el molde.

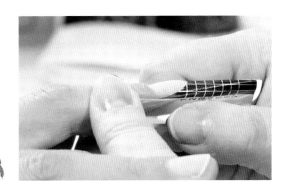

3. Aplicar una base adherente aplastando el pincel, sobre la uña y haciendo pequeños círculos para que penetre bien en los poros.

4. Secar en lámpara UVA 2 minutos.

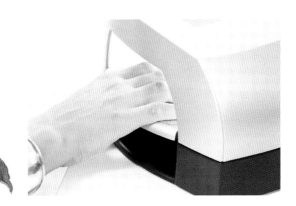

5. Retirar el exceso de producto con un pincel en seco.

6. Coger con el pincel el gel constructor y descargar en el centro de la uña.

7. Aplicación del gel sobre la uña, marcando los límites, desde la cutícula hacia el borde libre del molde. Realizamos directamente la construcción haciendo hincapié con el gel en los puntos más altos de la uña.

8. Secar en lámpara UVA 2 minutos.

9. Con unas pinzas para esculpir damos forma al ancho de la curva C interna antes de quitar el molde.

10. Quitar el molde.

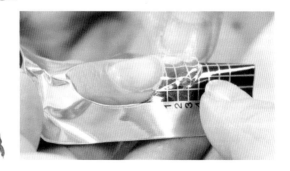

11.
Con unas barritas especiales reforzamos la curva C interna, para que la uña adopte con el gel la forma correcta.

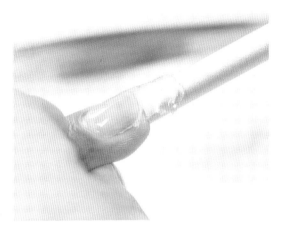

12.
Limpiar con una esponjita y finalizamos la escultura con el limado siguiendo las pautas ya descritas.

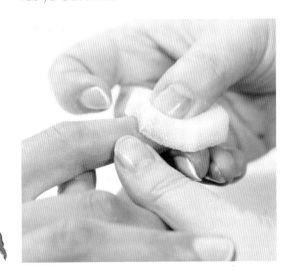

RESULTADO FINAL

> Al trabajar con esmaltado permanente *soak off* (removible), se puede cambiar de color sin necesidad de retirar el gel. Cuando se precise se puede retocar con gel y volver a aplicar esmaltado permanente.

> TRATAMIENTOS CON GEL. ESMALTADO PERMANENTE

El esmaltado permanente es un tipo gel muy novedoso en el mercado que tiene estas características:

> Posee una gran flexibilidad y no la daña la uña.

> El hecho de que el esmaltado permanente sea un gel muy flexible hace que también sea poco constructor. Se pueden realizar pequeñas extensiones, unos 2 mm.

> No se necesita limar la uña natural para aplicarlo y, por tanto, no es agresivo.

> Presenta una gran variedad de colores, y su aplicación puede ser sobre la uña natural o sobre cualquier tipo de escultura.

> Son productos removibles, es decir, se pueden quitar cuando el cliente lo desee simplemente aplicando un producto específico.

> Su aplicaciones fácil y rápida, como si se tratara de un esmalte y no necesita trabajar la uña.

> Es autonivelable. El resultado es absolutamente natural, no se nota la aplicación de gel.

> Es de larga duración, dura al menos tres semanas.

> No se astilla, ni se raya.

> No precisa de mantenimiento.

recuerda

Los últimos avances en la fabricación de este tipo de producto han mejorado mucho su formulación haciéndolos cada vez más duraderos y resistentes. Se seca tanto en lámpara de LED (10 segundos de secado) como en lámpara UVA; gracias a sus fotoiniciadores de luz.

En el caso de uñas con alteraciones no patológicas como por ejemplo: uñas quebradizas, uñas abiertas a capas, que se rompen facilidad... el esmaltado permanente resulta el más recomendado. Además de proteger la uña, ofrece un aspecto perfecto durante al menos tres semanas.

PASO A PASO DE APLICACIÓN DE ESMALTADO PERMANENTE

1. La preparación de las uñas comienza con la desinfección de las manos de la clienta y la profesional y la aplicación de un deshidratador para facilitar la fijación posterior del producto. A continuación se aplica una base adherente para sellar bien el borde libre de la uña. Se seca en lámpara LED (10 segundos y en lámpara UVA (1 minuto)

2. Limpiar el exceso producto con un pincel, al mismo tiempo el limpiar pincel en una esponjita en seco. A continuación se aplica la primera capa de gel color, extendiéndola como un esmalte y volver a secar en lámpara LED 30 segundos y lámpara UVA 3 minutos.

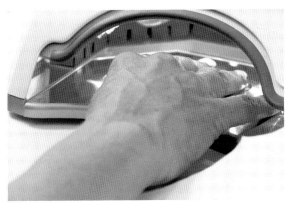

3. Empujar la cutícula y aplicar una 2ª capa gel color acercándonos bien a la cutícula.

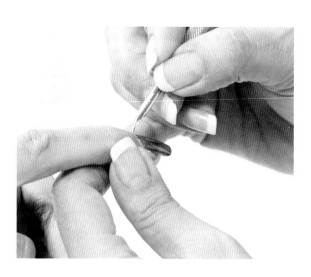

4. Se vuelve a secar en lámpara LED (30 segundos) o en lámpara UVA (3 minutos) y a continuación se aplica sellado y brillo final y otra vez se vuelve a secar en lámpara LED (30 segundos) y UVA (3 minutos) y, por último limpiamos con *cleanser* los restos pegajosos del gel y se aplica un poquito de aceite alrededor de la cutícula masajeando suavemente .

5.

Y este sería el resultado final.

> LOS PIES EN EL MUNDO DE LA ESCULTURA

Los esmaltados permanentes con gel son uno de los tratamientos más recomendados ya que no necesitan de una escultura. En las uñas de los pies el esmalte tiene mayor adherencia que en las uñas de las manos, también su crecimiento es más lento por lo que el esmaltado de gel permanente puede durar hasta dos meses.

¿CÓMO REALIZAR LA PEDICURA?

> Para el esmaltado u otra técnica de escultura, deben prepararse las uñas como en cualquier otra pedicura, pero es importante que no se metan los pies en remojo ya que el agua penetraría en las capas de la uña y al sellar con el esmaltado aumentaríamos el riesgo de hongos que proliferan con la humedad. En la actualidad existen mucho productos en el mercado desinfectantes y removedores de callos y durezas. Se aplican en los pies y se envuelven en en papel osmótico mientras se realiza la preparación de las uñas.

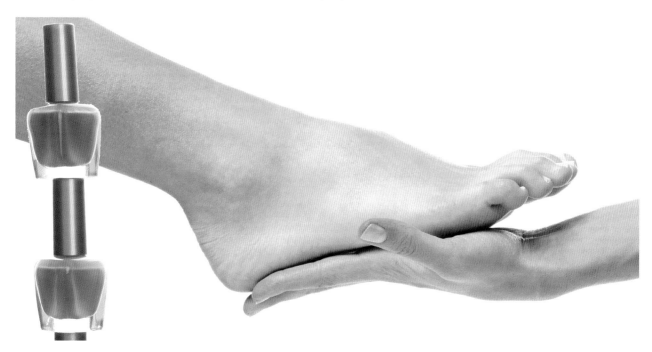

PASO A PASO DEL ESMALTADO DE GEL PERMANENTE

> La preparación de las uñas es exactamente igual que las de las uñas de las manos:

1. Se liman las uñas (recomendabe dejarlas cortas para que pueda durar más el gel).

2. Se empuja y trabaja la cutícula.

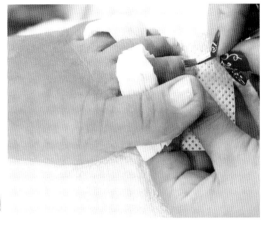

3. Se pule la superficie de la uña con una lima de 180 para arrastras suciedad pegada a la uña e igualar sus capas o pequeñas irregularidades (más comunes en las uñas de los pies que de las manos). Una vez preparada comenzamos con la aplicación del gel.

4. Aplicación de quitagrasa y deshidratador a la uña.

5. Aplicación de la primera capa de gel que actúa como base adherente. La aplicación de esta capa se realizará con pequeños círculos para que penetre bien en la superficie de la uña.

6. Secar en lámpara UVA 2 minutos, lámpara LED 30 segundos.

7. Retirar el residuo con un pincel seco y empujar de nuevo la cutícula para llegar hasta su borde con el esmaltado pero sin llegar a tocarla.

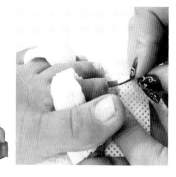

8. Aplicación de la primera capa gel color. Volver a secar en lámpara UVA 3 minutos, lámpara LED 30 segundos.

9. Tras la aplicación sellador y brillo final, se seca de nuevo en la lámpara UVA 2 minutos y en lámpara LED 30 segundos y se limpia la uña.

10. Con la ayuda de un gotita de gel se aplican unos brillantitos en uno de los dedos y finalmente se sella.

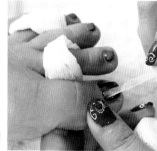

RESULTADO FINAL

No olvidemos que siempre que se finalice la uña con algún elemento decorativo, hay que volver a aplicar una capa de sellador para que la decoración no se mueva.

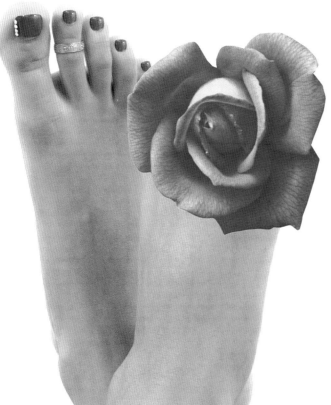

Las posibilidades de color y acabado con esta técnica son muy variadas y su elección dependerá de los deseos de la clienta y de la armonía que se busque en el conjunto final.

6 UÑAS MORDIDAS: TRATAMIENTO Y EXTENSIONES

En el caso de uñas mordidas, uno de
los tratamientos más adecuados es
el esmaltado permanente que
no resulta agresivo para las uñas
y se puede realizar sin tener que
hacer construcciones para
alargarla, permitiendo que la uña
vaya creciendo sana y protegida
ya que el gel aplicado
evita que se las muerda.

Lo tratamientos para uñas débiles
o mordidas deben, no sólo mejorar
su aspecto, sino también ayudar a eliminar
los hábitos perjudiciales para su salud.

> ELECCIÓN DE LA TÉCNICA

En muchas ocasiones nos encontramos con clientas que tienen las uñas mordidas y quieren verlas largas de inmediato, bien porque tienen un acontecimiento próximo o simplemente porque no desean esperar. En cualquier caso, siempre hay que atender sus necesidades y asesorarlas sobre lo más adecuado.

recuerda

El cliente debe estar concienciado de que va a dejar de morderse las uñas antes de iniciar el tratamiento que se realizará varias veces seguidas para ayudar a perder este hábito.

Este es también un tratamiento ideal para hombres y niños (con gel transparente).

> Dependiendo de las uñas que nos encontremos, sus características y deseos del cliente, podremos aplicar gel y realizar extensiones de distintas formas: con molde o con tip. A continuación se detallaran los pasos más importantes de estas dos técnicas:

recuerda

En el caso de uñas mordidas es mucho más recomendable el molde ya que va a dañar menos la uña natural.

PASO A PASO DE APLICACIÓN CON MOLDE

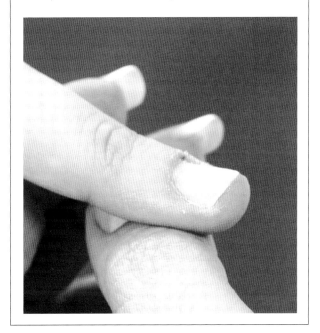

recuerda

Los pasos para la preparación de las uñas son los ya descritos, pero en este caso hay que tener en cuenta que el tratamiento de la cutícula debe ser muy minucioso pues este tipo de uñas suelen tener padrastros.

1. Aplicación del deshidratador dos veces pues suele ser una uña muy húmeda.

2. Aplicación del *primer*. **Importante:** el exceso de *primer* puede despegar el gel, hay que tener cuidado y utilizar la cantidad justa. Se aplica desde un lateral al otro de la uña.

3. Cortar la fibra a la medida de la uña, tiene que montar encima de toda la base, sobresaliendo en la zona que queremos hacer de extensión. Poner la fibra sobre una superficie que podamos aplicar con gel (puede ser un papel de moldes) y aplicar gel a ambos lados de la fibra.

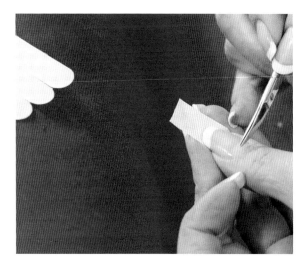

recuerda

Para reforzar la uña y ayudar a que soporte la extensión, se puede utilizar una de fibra o seda adaptándola a la superficie sobre la que se vaya a aplicar luego el gel.

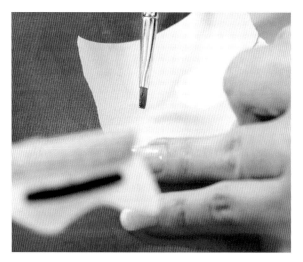

4. Aplicación de gel base sobre la uña natural y el molde a la largura deseada; tener en cuenta que como mucho puede ser el mismo largo que tenemos de base

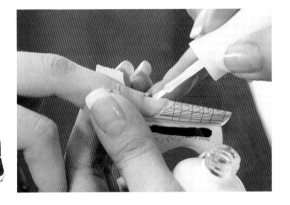

5. Seguidamente sin introducir a la lámpara poner la fibra de vidrio, fusionar con ayuda de un empujador para que la fibra quede bien empapada de gel como si fuese un sándwich y esperar para que se endurezca unos 15 segundos.

6. Volver a aplicar gel base constructor. Coger una bolita, depositar como a 3 mm de la cutícula y extender hacia el borde libre de la uña, dejando la zona del arco con mayor cantidad de gel en el centro y secar.

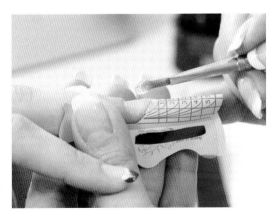

7. Moldear con las pinzas.

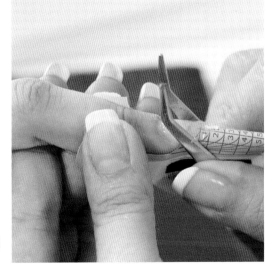

8.

Limpiar con quitaesmalte sin acetona.

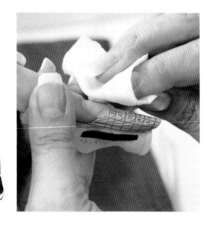

9.

Dar la forma deseada a las uñas que se preparan para francesa, color, decoración, etc.

 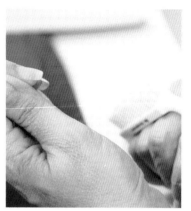

ACABADO EN FRANCESA COLOR

10.

Aplicaremos un color rojo en el borde libre para hacer una fracesa con color y una forma un poquito lateral, la parte exterior es ligeramente más larga y dejar secar durante 2 minutos. A continuación aplicar una capa de gel finalizador y hacer una raya delimitando el borde libre de la uña utilizando primero el color blanco, luego amarillo y una tercera rosa, con rápidez para que no se escurra.

Aplicar una capa de gel finalizador y seguidamente hacer una raya color blanco otra color amarillo y una tercera color rosa todo muy rápido ya que se mueve el producto. Con un pincel de pelo muy fino y largo barremos en dirección al borde libre. Inmovilizar durante 15 segundos y cuando estén todas hechas secar 2 minutos.

11. Limpiar la uña y aplicar un poco de aceite y masajear la cutícula para acabar el trabajo.

RESULTADO FINAL

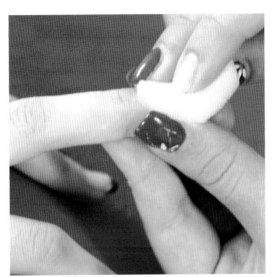

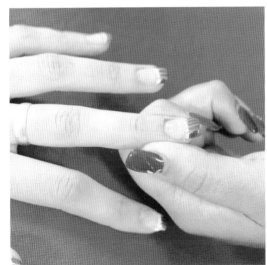

> GEL EN UÑAS MORDIDAS CON TIPS

Otra forma de alargar una uña mordida y proporcionarle un soporte al gel, es la utilización de tips. Recordemos que es muy importante el trabajo sobre la cutícula, y que el alicate, sólo lo utilizaremos, si es necesario, para cortar padrastos.

1. Preparación uñas. Seguir los mismos pasos del proceso anterior.

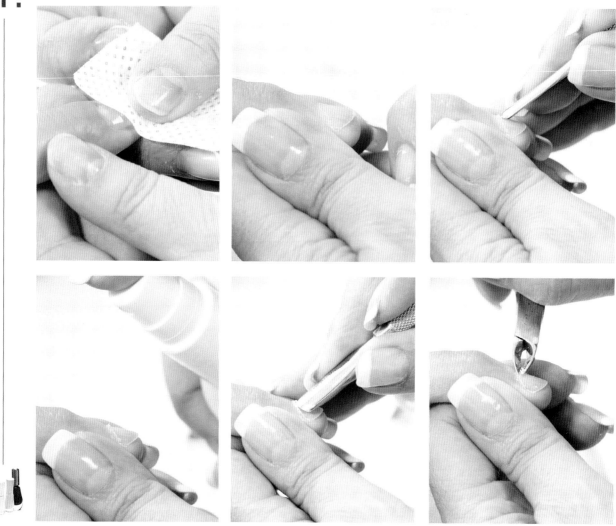

2. Aplicar el deshidratador.

3. Seleccionar tips, lo más ajustados posible para que queden rectos con la pared lateral de la uña.

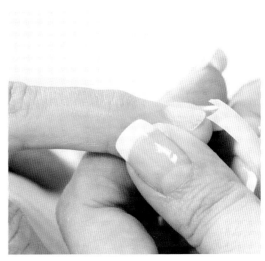

recuerda

Al limar la uña natural debemos tener en cuenta que el borde libre debe tener la longitud suficiente para sujetar el tip. La longitud del borde libre de la extensión no será mayor que el de la propia lámina ungueal.

4. Cortar y pegar. Una vez elegidos los tips, se aplica un poco de pegamento y se adhieren a la uña. Con el alicante corta tips, se les da a todos la misma longitud.

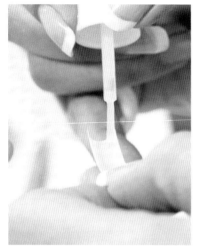
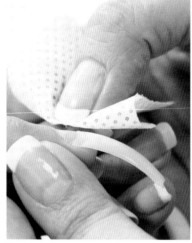
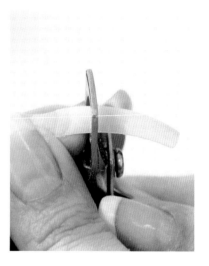

5. Limar y dar forma adaptando el tip a la forma de la mano y dedos de la clienta.

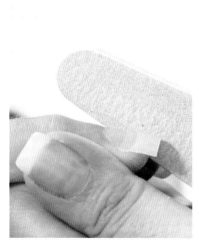
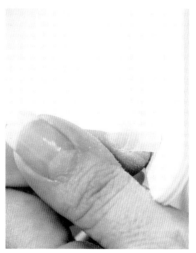

6. Fusionar el tip con la uña para que quede prácticamente invisible y aplicar *primer* sólo sobre la uña natural.

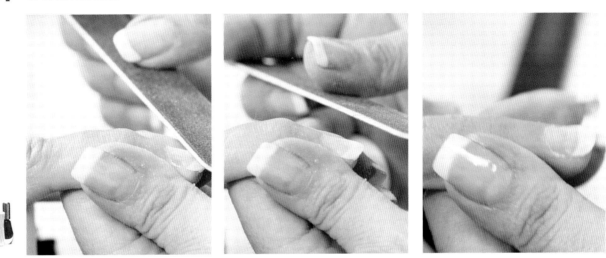

7. La uña ya está preparada para darle color, decoración natural, etc. Aplicar gel base y secar 2 minutos.

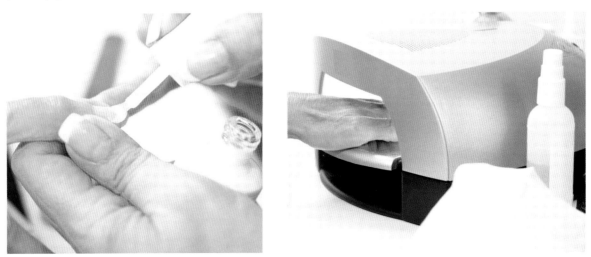

8. Como en este caso se va hacer francesa,comenzamos aplicando gel blanco para hacer la sonrisa. Secar 2 minutos.

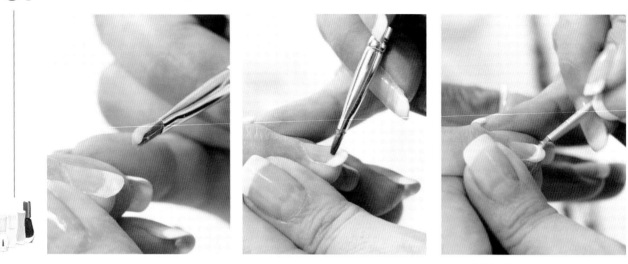

9. Aplicar gel rosa construcción sobre el cuerpo de la uña, sobre el borde libre.

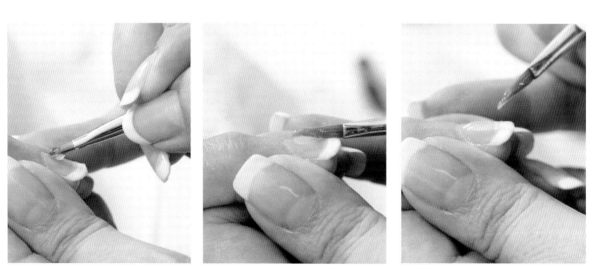

10.

Secar 2 minutos en lámpara.

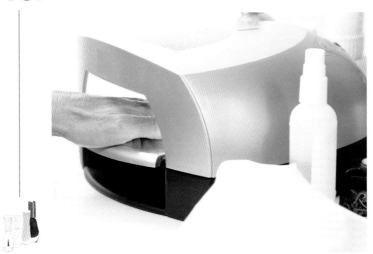

11.

Limpiar con quitaesmalte sin acetona los restos de gel que puedan quedar, limar y terminar la forma.

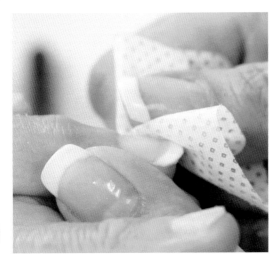

12.
Aplicar gel finalizador y secar 2 minutos.

13.
Limpiar, poner aceite en la cutícula y masajear.

14.

Trabajo terminado.

RESULTADO FINAL

La aplicación de brillantitos proporciona un toque más sofisticado.

> RELLENOS

Un cliente que lleva uñas esculpidas, normalmente suele tener que acudir al centro a las tres o cuatro semanas después de la aplicación, por el crecimiento de la uña.

Si las uñas se pueden rellenar seguiremos los siguientes pasos:

• Desinfectamos las uñas.

• Desmaquillamos las uñas.

• Trabajaremos las cutículas sin removedor.

• Trabajaremos la construcción que trae ya que si ha crecido y queremos limar el largo, nos va a modificar la forma de la uña perfecta.

• Analizaremos la uña y rebajaremos las zonas de producto que sea necesario.

• Puliremos toda la superficie y empezamos a aplicar el material o producto que vayamos a aplicar (acrílico, gel…).

recuerda

Nos podemos encontrar que las uñas estén muy debilitadas y un poco levantadas por una aplicación no correcta o por falta de cuidados del cliente, en este caso, es mejor volver a realizarlas de nuevo porque sino el relleno no va a aguantar.

> Otras formas más sencillas y baratas (ya que siempre debemos adaptarnos al cliente) son las siguientes:

Con esmalte	Con esmaltado permanente
Preparación de la uña	Preparación de la uña
1. Fungicida.	1. Fungicida.
2. Trabajamos la cutícula.	2. Trabajamos la cutícula.
3. Rebajamos la línea de gel (taco gris).	3. Rebajamos la línea de gel (taco gris).
4. Limpiar capa base: base esmalte.	4. Limpiar capa base: gel o esmaltado permanente.
5. Poniendo más producto para igualar.	5. Poniendo más producto para igualar.
6. Esmaltamos la uña del mismo color.	6. Esmaltamos la uña del mismo color dejando más tonalidad en la parte del crecimiento.
7. Sellante de esmalte.	7. Sellador diferencia.
8. Aceite de cutículas.	8. Aceite de cutículas.
9. Crema de manos.	9. Crema de manos.

recuerda

Las uñas maquilladas con esmalte normal van a durar aproximadamente 10 días, si el esmaltado es permanente hasta 3 semanas.

PASO A PASO APLICACIÓN RELLENO SOBRE LA UÑA YA PREPARADA Y REBAJADA LA LÍNEA DE PRODUCTO

> Los rellenos con esmaltados permanentes se pueden realizar sin necesidad de quitar la construcción ya que es removible. De esta forma conseguiremos estar realizando rellenos hasta que la uña natural este demasiado larga o su morfología ya no lo permita.

Normalmente, en esmaltados permanentes removibles, ya sea en manos o pies, es más recomendable empezar la aplicación desde el principio que realizar rellenos (ya que se tarda lo mismo en trabajar la uña para rellenar que en quitar el producto) y esta forma es más saludable para sanear la uña natural.

1. Una vez hemos trabajado la uña siguiendo las pautas hasta dejar la uña perfecta, pulimos toda la superficie.

2. Limpiamos el polvo con un cepillo.

3. Aplicamos la base de esmaltado permanente, llevando el producto primero al área a rellenar. Se presiona con el pincel para sellar bien los bordes.

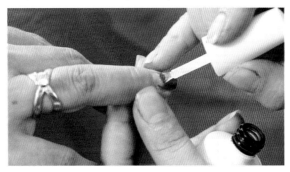

4. Empujamos bien la cutícula.

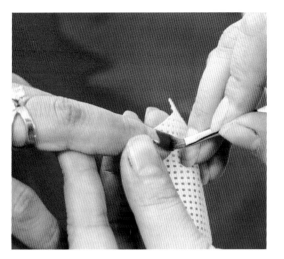

5. Limpiamos con un pincel en seco.

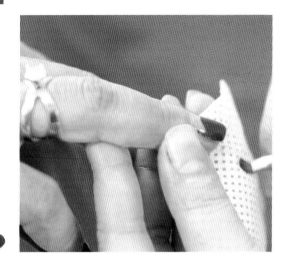

6. Coger el color que queramos aplicar y realizar la misma aplicación que con la base.

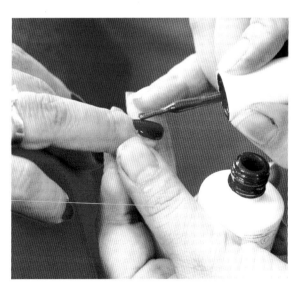

7.

Secamos en lámpara.

8.

Sellamos con el gel finalizador.

RESULTADO FINAL